Sebastian Schlegel

Der „Weiße Archipel"

Sowjetische Atomstädte 1945-1991

Mit einem Geleitwort von Thomas Bohn

SOVIET AND POST-SOVIET POLITICS AND SOCIETY

ISSN 1614-3515

Recent volumes

Sebastian Schlegel

DER „WEISSE ARCHIPEL"

Sowjetische Atomstädte 1945-1991

Mit einem Geleitwort von Thomas Bohn

ibidem-Verlag
Stuttgart

Bibliografische Information Der Deutschen Bibliothek

Die Deutsche Bibliothek verzeichnet diese Publikation in der Deutschen Nationalbibliografie; detaillierte bibliografische Daten sind im Internet über <http://dnb.ddb.de> abrufbar.

Coverabbildung: Erfolgreicher Test von RDS-4 (Amerikanisch: „Joe-4"), der ersten sowjetischen thermonuklearen Waffe, am 12. August 1953 auf dem Atomwaffentestgelände Semipalatinsk, Kasachische SSR. Entnommen: http://nuclearweaponarchive.org/Russia/Sovwpnprog.html.

∞

Gedruckt auf alterungsbeständigem, säurefreien Papier
Printed on acid-free paper

ISSN: 1614-3515
ISBN-10: 3-89821-679-9
ISBN-13: 978-3-89821-679-1

© *ibidem*-Verlag
Stuttgart 2006
Alle Rechte vorbehalten

Printed in Germany

Meinen Großvätern

Inhalt

Abkürzungen

GKO / GOKO	Staatliches Verteidigungskomitee (*Gosudarstvennyj Komitet Oborony*)
GSPI	Staatliches Spezielles Projektierungsinstitut (*Gosudarstvennyj special'nyj proektnyj institut*)
GULag	Hauptverwaltung der (Arbeits- und Besserungs)Lager (*Glavnoe upravlenie ispravitel'no-trudovych lagerej*)
GULGMP	Hauptverwaltung der Lager der Bergbau-Metallurgischen Unternehmen des NKVD (*Glavnoe upravlenie lagerej gorno-metallurgičeskich predprijatij NKVD*)
GULPS	Hauptverwaltung der Lager für Industriebau des NKVD (*Glavnoe upravlenie lagerej promyšlennogo stroitel'stva NKVD*)
ITS	Ingenieur-Technischer Rat des Spezialkomitees für den sowjetischen Atomsektor (*Inženerno-techničeskij sovet*)
ITL	Besserungs- und Arbeitslager (*Ispravitel'no-trudovye lageri*)
KB	Konstruktionsbüro (*Konstruktorskoe bjuro*)
KGB	Komitee für Staatssicherheit (*Komitet Gosudarstvennoj Bezopasnosti*)
MGB	Ministerium für Staatssicherheit (*Ministerstvo Gosudarstvennoj Bezopasnosti*)
MSM / Minsredmaš	Ministerium für Mittleren Maschinenbau (*Ministerstvo srednego mašinostroenija*)
MVD	Ministerium für Innere Angelegenheiten (*Ministerstvo vnutrennych del*)
NKVD	Volkskommissariat für Innere Angelegenheiten (*Narodnyj kommissariat vnutrennych del*)

Narkomvneštorg	Volkskommissariat für Außenhandel (*Narodnyj kommissariat vnešnego torgovlja*)
NKAP	Volkskommissariat für Flugzeugindustrie (*Narodnyj kommissariat aviacionnoj promyšlennosti*)
NKO	Volkskommissariat für Verteidigung (*Narodnyj Kommissariat Oborony*)
PGU	Erste Hauptverwaltung des Spezialkomitees für den sowjetischen Atomsektor (*Pervoe Glavnoe Upravlenie*)
ZATO	Geschlossene administrativ-territoriale Einrichtung (*Zakrytoe administrativno-territorial'noe obrazovanie*)

Danksagungen

Diese Arbeit hat eine längere Vorgeschichte. Stacheldraht, vergitterte Tore und hohe Wachtürme mit bewaffneten Posten waren durch die Präsenz sowjetischer Soldaten in meinem Heimatort bei Leipzig ein prägendes Bild meiner Kindheit. Auch wenn es sich um die „sowjetischen Freunde" handelte, denen so viel zu verdanken war – es war doch stets ein kleines Abenteuer, wenn sich eine kleine Schar Schuljungen vorsichtig an die fremden Männer in Uniform annäherte, die gern bereit waren, einen unreifen Apfel gegen ein blinkendes Abzeichen zu tauschen, auch wenn die Posten auf den Wachtürmen damit strenge Strafen riskierten. Später erfolgte der Abzug der „Russen", die, so fern der Heimat, trotz des Stacheldrahts und der Mauern der Bevölkerung doch häufig so nah gewesen sind. Es dauerte etliche Jahre, bis ich mich selbst im fremden und doch so vertrauten Rußland wiederfand. Hier wurde ich auf Seversk aufmerksam, auf eine Stadt ganz in unmittelbarer Nähe meines Studienortes Tomsk. Es sei ein besonderer Ort, so wurde mein Interesse beantwortet, es habe mit Atomwaffen zu tun und sei für Ausländer strikt tabu. Es leuchtet sicher ein, daß dieses Phänomen einer abgeschotteten Stadt desto interessanter wurde, je offensichtlicher wurde, daß ein Zugang zu ihr unmöglich war. Heute ist es klar, daß es einer großen Dummheit gleichkam, als ich mich, zwischen Weihnachten und Neujahr 2000, in einer abenteuerlichen Aktion nach Seversk einschleusen ließ. Volle zwei Wochen in der verbotenen Stadt waren gefüllt mit Interviews, Fotoaufnahmen und dem Sammeln von Publikationen über die Stadtgeschichte, die außerhalb von Seversk nur unter der Hand zu bekommen waren. Dieser Aufenthalt, der durchaus hätte schlimme Folgen haben können, war schließlich Motivation genug, eine eigene Arbeit über das Phänomen ehemals geheimer und heute noch gesperrter Städte anzufertigen.

Wichtiger noch als das Sammeln von Material und persönlichen Eindrücken waren die Bemühungen, Impulse und Anregungen, der Arbeit einen angemessenen wissenschaftlichen Rahmen zu geben und nicht der Sensationslust zu erliegen. An erster Stelle ist hierbei Anatolij S. Chodonov zu nennen, der sich in bemerkenswerter Weise meiner zunächst „fixen" Idee annahm und durch seinen außergewöhnlichen Charakter mir immer Motivation genug bot, diese Arbeit auch wirklich zu schreiben. Natalja Forrat und ihre Familie sowie Nikolaj N. Loginov haben mich stets geduldig unterstützt, jedoch nicht ohne mich dabei mit einem Lächeln über meine Begeisterung für Sperrgebiete und militärische Geheimnisse zu bedenken. Es war Thomas M. Bohn, der mich, mittlerweile in die Heimat zurückgekehrt, in meinem Vorhaben bestärkte und mich stets aus seinem reichen Erfahrungsschatz stadtgeschichtlicher Forschungen mit immer neuen Impulsen versorgte. Großer Dank gebührt selbstverständlich auch meinem Betreuer, Joachim von Puttkamer, der mir – geduldig und oftmals aus einem ganz unvermuteten, ungewöhnlichen Blickwinkel – die umfangreichsten Anregungen zuteil werden ließ. Wichtige und wesentliche Hinweise verdanke ich ebenfalls Dietmar Neutatz, Susanne Schattenberg und Christoph Mick. Natürlich gibt es viele weitere Menschen, die mich in meiner Begeisterung ertrugen und mich ermunterten, am Ball zu bleiben. Von ihnen hatte, dies wird jetzt klarer denn je, Kerstin Both wohl die größte Last zu tragen, die sie mir, mit großer Geduld, Wärme und stets mit einem Lächeln, praktisch von den Schultern genommen hat. Auch Gerti Zeise, die mit aufopfernder Hilfsbereitschaft die Korrektur des Manuskripts übernahm, obwohl sie sich selbst in schwerster Situation befand, bin ich zu tiefstem Dank verpflichtet.

Der größte Dank jedoch gebührt zweifelsohne meiner Familie. Sie hatte Sorge um mich auszustehen in der Zeit meines Wegseins, sie war und ist mein größter Rückhalt. Und von ihr wurden wohl die Weichen meiner Begeisterung für die russische und sowjetische Geschichte gestellt. Es sind meine Großväter, deren Schicksal mich heute, einige Zeit nach ihrem Tod, so sehr beschäftigt und prägt. Ihnen ist diese Arbeit gewidmet.

Jena, im April 2006.

Abstract in English

The "White Archipelago"
Soviet Atomic Cities, 1945-1991

The stage for large construction projects in the Soviet Union was set already in the early 1930's. These projects were based on Western examples, especially on American role models, and copied them. But Soviet planners also tried to get rid of their dependence from abroad and to create an own, a "Soviet" style of industrialization.

The main driving forces were the "specialists" – engineers who had a strong intrinsic stimulus to manage technical challenges without any ideological interference. The challenge was to cope with a highly complex project – the building of a Soviet atomic bomb.

Yet the motivation of the people who took part in the Soviet atomic programme was not only a result of the task to attain the almost unattainable. Their motivation was rather also the result of a highly complex system of allowances and permanent pressure. The tremendous pressure of time and of being successful caused considerable psychological stress among all involved persons, including higher political and scientific circles. Nevertheless, extensive privileges (e.g. high salaries, exclusive food supply, excellent recreation possibilities in state-owned sanatoriums) created a fertile working atmosphere. The privileges had, together with psychological pressure – increased by a regime of secrecy – and the strong intrinsic motivation of the "specialists", noticeable impact on the scientists' work – an effect expected by the Soviet leadership. Now, concrete scientific outcomes could be presented which, in the end, led to the successful test of the first Soviet nuclear weapon.

In their memories, most of the nuclear scientists made it plain that they were convinced of the necessity of their work. This shows the efficacy of the concept of a loyal elite in a small space and under controlled working and living conditions. The conditions created reduced the gap between socialist demand and Soviet reality: With high enthusiasm and inner own dynamic a clear aim was pursued and finally brought to a successful end. The solution of technical problems had a clear priority over ideological stipulations; in higher political positions it was well-known that "power stations could not be built with ideology".

A comparison between the Soviet nuclear programme and its American equivalent reveals some parallels which appear logical as the Soviet project was based on knowledge from extensive espionage. The characteristics of the Soviet project are based on several factors: The secret American "objects" – Los Alamos, Hanford and Oak Ridge were the only three real "cities" – were already in the 1950s relieved from the regime of secrecy, at least to a certain extent. In the Soviet Union, however, a large number of prisoners, many more than military personnel, built the infrastructure for a whole "nuclear archipelago" which today still exists, barely changed. In the Soviet Union as well as in the United States, German scientists participated in nuclear research. Yet in the Soviet Union, they had to work under constraints and in strict isolation from the Soviet research. Also important for the development of the Soviet atomic bomb was systematic Soviet espionage which was, by its form, extent and consequences, undoubtedly unique. Finally, it is also peculiar that the organizational supervision of the project was assigned to the Ministry of Interior and its security forces.

Although it cannot be stated that secret atomic cities were deliberately used for ideological purposes (apart from the ideological meaning of their products), they undoubtedly can be called "golden cages". It turns out that the concept of these isolated living spaces worked out extremely well as long as they had a clearly defined task. When this task slowly became obsolete with the end of the "Cold War", unexpected problems arose. Suddenly highly specialized knowledge was not needed anymore and the extensive privileges for a small elite that had gotten used to special attention were dropped little by little. Because of that the danger of desertion of scientists indeed exists. In the past, a kind of "clean" attitude within the nuclear branch and a strengthening cooperation with other countries in the field of nuclear security avoid larger incidents. Despite many such projects to stabilize the archipelago of Russian nuclear cities, the state of uncertainty and missing legitimation has not been overcome. Conservative tendencies among the cities' inhabitants and their administrations have their share in the present situation. In the future, it will be imperative both for the cities' administrations as for inhabitants to free themselves from old Soviet security-thinking and to "open" themselves in various respects.

Geleitwort

Geschlossene Städte und militärische Sperrzonen

Der Untergang des sowjetischen Imperiums und der Fall der Berliner Mauer führten im östlichen Europa zu einer „Rückkehr der Städte" (Karl Schlögel). Gemeint sind das Aufleben der Zivilgesellschaft in einer Phase des revolutionären Umbruchs und die Öffnung der urbanen Zentren für westliche Besucher im Zuge der ökonomischen Transformation. In der Folge vermag die historische Forschung heute, Einblicke in das Leben des „unbekannten Nachbarn Sowjetunion" (Regula Heusser) zu bieten, die der zeitgenössischen Kreml'-Astrologie verschlossen blieben. Die Sowjetunion war ein Land der Widersprüche. Vor dem Zweiten Weltkrieg bedurfte es des Stalinismus, um einen Sozialismus eigener Prägung hervorzubringen. Nach 1945 kristallisierten sich äußere Expansion und innerer Niedergang als Grundkonstanten des Systems heraus. Der Alltag wurde gleichermaßen von modernen wie traditionellen Elementen beherrscht. Während im Fernsehen der bemannte Weltraumflug zur Geltung kam und auf Paraden ausgefeilte Waffentechnik demonstriert wurde, nutzte der Einzelhandel weiterhin den Rechenschieber und die Straßenreinigung immer noch den Reisigbesen. Eine Erklärung für diese Diskrepanzen ist denkbar einfach. Industrialisierung und Urbanisierung hatten sich im sowjetischen Fall binnen weniger Jahrzehnte zu vollziehen; je nach Region konzentrierte sich die Entwicklung auf die dreißiger oder die fünfziger Jahre. Vor diesem Hintergrund begann sich die Sowjetunion in den sechziger Jahren von einem Agrarland in einen Industriestaat zu verwandeln. Die Modernisierung erfolgte punktuell, häufig in Form von Großprojekten, immer im Interesse der Schwer- und der Rüstungsindustrie. Konsumverzicht und Geheimhaltung bildeten die Prämissen, die Zusammenballung der Bevölkerung in Großstädten gehörte zu den Konsequenzen.

Ein im Westen nur wenig bekanntes Phänomen war das „System der ge-schlossenen Städte" (Victor Zaslavsky). Dieses System wurde seitens der sowjetischen Führung weniger durch einen bewußten Willensakt etabliert, als vielmehr im Zusammenhang diverser infrastruktureller Regelungen informell geschaffen. Am Anfang stand das Bestreben, eine einseitige Konzentration der Industrie auf die beiden „Hauptstädte" Moskau und Leningrad zu verhin-dern. Am Ende ging es darum, den aus der Landflucht resultierenden Druck der Bevölkerung auf die Wirtschaftszentren auszugleichen. Auf diese Weise wurde zwischen 1932 und 1956 in quasi allen Städten mit über 200.000 Ein-wohnern sowohl die Erweiterung der industriellen Palette untersagt als auch die Niederlassung von sogenannten Neusiedlern an die Ausstellung einer Meldebescheinigung gebunden. Eine ständige Aufenthaltsberechtigung wur-de im Grunde genommen nur erteilt, wenn Migranten eine Wohnfläche von 9 qm pro Person nachweisen konnten – ein aufgrund der allgemeinen Woh-nungsnot in der Regel aussichtsloses Unterfangen. Im Endeffekt stellte sich eine wohnortbedingte Schichtung der sowjetischen Bevölkerung ein. Denn bezüglich der Auswahl an Konsumgütern, der medizinischen Versorgung und des Freizeitangebots gab es eine abfallende Linie von der Großstadt zur Mit-tel- und Kleinstadt bis zum Dorf. Hinsichtlich der Versorgung mit Leitungs-wasser, Zentralheizung und sanitären Einrichtungen bestand bis zum Ende der Sowjetunion ein zivilisatorisches Gefälle zwischen Stadt und Land.

Eine eigenartige Rolle in diesem System spielten die auf keiner Landkarte zu findenden und von Sicherungsanlagen umgebenen „geheimen" oder „ge-sperrten" Städte des sogenannten militärisch-industriellen Komplexes. Auf die Leistungsbereitschaft ihrer Bewohner gründete sich das Vermögen der So-wjetunion, im Rüstungswettlauf mit den USA zumindest technisch bestehen zu können. In den Orten, in denen Atomforschung betrieben wurde, kamen Privilegien daher in besonderem Maße zur Geltung. Schließlich bestand das Interesse von Staat und Partei darin, diese, einem Ausnahmezustand unter-worfenen Inseln des „weißen Archipels" von der tosenden Brandung abzu-schotten, die die Migrationsströme andernorts mit sich brachten. Diesbezüg-lich stellt sich natürlich die Frage, ob die von der Partei propagierte sozialisti-sche Wohlstandsgesellschaft etwa in Sperrbezirken realisiert wurde und ob das Beharren der Geheimstädte auf ihrem Status nach dem Zerfall der So-wjetunion darin eine Erklärung findet.

Wie Sebastian Schlegels Studie zeigt, orientierten sich die sowjetischen Großprojekte seit den dreißiger Jahren zwar stark an westlichen Vorbildern, vor allen an amerikanischen. Jedoch wurde auch versucht, sich durch die Entwicklung eines eigenen sowjetischen Stils von der Auslandsabhängigkeit zu befreien. In diesem Zusammenhang erfolgte offenbar eine Perpetuierung militärischer Organisationsformen der dreißiger Jahre bis zum sowjetischen Atomprojekt der vierziger Jahre. Allerdings scheint die von der Stalinismusforschung vorgetragene These der Simulation eines „Kriegszustands in Friedenszeiten" zu kurz zu greifen. Diesbezügliche motivationsfördernde Inszenierungen waren in den Geheimstädten nicht erforderlich. Denn die „Spezialisten" der ersten Stunde verspürten einen inneren Antrieb, auf technische Herausforderungen zu reagieren.

Der Enthusiasmus der am sowjetischen Atomprojekt Beteiligten resultierte aus einem komplexen System von vielfältigen Vergünstigungen und permanentem Streß. Einerseits sorgten Zeit- und Erfolgsdruck für psychologische Belastungen. Andererseits blieben Repressionen aus. Während ein Versagen außerhalb des „Weißen Archipels" schwere Strafen zur Folge haben konnte, beschränkte man sich innerhalb der Atomstädte darauf, entsprechende Maßnahmen anzudrohen und kleinere Exempel zu statuieren. Daß Sanktionen ausblieben, ist sowohl der Motivation der unermüdlichen Forscher als auch der Tatsache zuzuschreiben, daß Ausfälle beim wissenschaftlichem Personal nicht zu kompensieren waren. Im übrigen sorgten weitreichende finanzielle und soziale Privilegien (z.B. hohe Löhne, exklusive Lebensmittelversorgung, exzellentes Erholungsangebot in staatseigenen Sanatorien) für eine anregende Arbeitsatmosphäre.

In den Erinnerungen der Atomspezialisten spiegelt sich Sebastian Schlegel zufolge eine positive Einstellung zu den an sie herangetragenen Aufgaben wider. Offenbar war es der sowjetischen Führung gelungen, auf kleinem Raum unter kontrollierten Arbeits- und Lebensbedingungen eine loyale Elite zu etablieren. In der Folge verringerte sich in den Atomstädten die Kluft zwischen sozialistischem Anspruch und sowjetischer Wirklichkeit: Ein klares Ziel wurde mit großem Enthusiasmus und eigener Dynamik verfolgt und schließlich zum Gelingen gebracht. Für die Hypothese, daß die „Objekte" bewußt als „sozialistische Projekte" betrachtet wurden, als Chance zur Realisierung von ideologischen Konzepten, die in der „Außenwelt" zum Scheitern verurteilt waren, liefert Sebastian Schlegel indes keine Belege. Immerhin kann er auf die (scheinbar paradoxe) Tatsache verweisen, daß innerhalb des Archipels kritische Töne freier als sonst geäußert werden konnten. Anscheinend besaß die Lösung technischer Fragen Priorität vor den politischen Auflagen.

Die Parallelen zwischen dem sowjetischen Atombombenprojekt und dem amerikanischen Äquivalent führt Sebastian Schlegel darauf zurück, daß sich sowjetische Vorhaben auf Erkenntnisse aus Spionagematerialien stützten. Bezüglich der Spezifika des sowjetischen Projekts kommt der Verfasser zu folgenden Schlüssen: Während die geheimen amerikanischen „Objekte" – von denen mit Los Alamos, Hanford und Oak Ridge nur drei „Städte" im eigentlichen Sinne existierten – bereits in den 1950er Jahren weitgehend vom Geheimhaltungsregime befreit worden waren, hatte die Sowjetunion mit einer die militärischen Arbeitskräfte weit überragenden Anzahl von Strafgefangenen die infrastrukturellen Voraussetzungen für einen ganzen „Nukleararchipel" geschaffen, der bis heute in kaum veränderter Form existiert. Zwar beteiligten sich deutsche Forscher an der Kernforschung beider Supermächte, doch erfolgte ihr Einsatz in der Sowjetunion größtenteils zwangsweise und abgesondert von den einheimischen Kollegen. Schließlich ist zu erwähnen, daß die organisatorische Leitung des Atomprojekts in der Sowjetunion sowohl einem eigens dafür gegründeten Gremium als auch dem Innenministerium und den Sicherheitsorganen unterstand.

Obgleich eine ideologische Instrumentalisierung des sozialen Experiments unterblieb, das mit den Geheimstädten verbunden war, ist Schlegel zufolge der Charakter „goldener Käfige" dennoch unbestritten. In der vorliegenden Studie wird deutlich, daß das Konzept geschlossener Lebensräume so lange funktionierte, wie eine übergeordnete Zielstellung bestand. Als der militärische Auftrag mit dem Untergang der Sowjetunion und dem Ende des „Kalten Krieges" infragegestellt wurde, entstanden unvermutete Probleme. Hochspezialisiertes wissenschaftliches Personal wurde nicht mehr in dem gewohnten Maße gebraucht und die Gewährung von Vergünstigungen erübrigte sich dementsprechend. Über die Gefahr eines Amtsmißbrauchs von Atomspezialisten wird hin und wieder spekuliert, doch haben der von den Vertretern dieser Branche an den Tag gelegte Berufsethos und die mit dem Ausland bestehende Kooperation in Sicherheitsfragen nennenswerte Zwischenfälle verhindern können.

In der Phase der Systemtransformation hat sich bisher noch keines der Konzepte zur Stabilisierung des Archipels der russischen Atomstädte als geeignet erwiesen, den aus dem Legitimationsdefizit resultierenden Anachronismus zu überwinden. Einen nicht zu unterschätzenden Anteil daran hat der immer wieder hervortretende Widerstand städtischer Administrationen gegen grundlegende Veränderungen. Die Zeit scheint in den Atomstädten der ehemaligen Sowjetunion gleichsam stehen geblieben zu sein.

Sebastian Schlegel, dem wir diese interessanten Eindrücke verdanken, kennt die Materie aus eigener Anschauung. Im Rahmen eines Studienaufenthalts an der Universität Tomsk in den Jahren 2000/2001 begann er Interesse für Seversk und das Phänomen der geheimen Städte der Sowjetunion zu entwickeln. Der Entschluß, die gesammelten Erfahrungen zu verdichten, lag nahe. Aufgrund der Brisanz, die die Frage nach der sowjetischen Atomforschung für das offizielle russische Politik immer noch beinhaltet, und wegen der Zugangsbeschränkung, auf die die lokalen Autoritäten aus Sorge um ihren Status weiterhin bestehen, stellte sich im Zuge weiterer Recherchen aber heraus, daß die Zeit für eine Historisierung des „Weißen Archipels" noch nicht reif ist. Unter dieser Prämisse sollte die in den Jahren 2003/2004 geschriebene Magisterarbeit gelesen werden. Es handelt sich im wahrsten Sinne des Wortes um die Studie eines Pioniers.

Thomas Bohn
Frankfurt/Oder

1. Einleitung

„Stolz dachte Er:
‚Von hier aus drohen wir dem Schweden;
Hier werde eine Stadt am Meer,
Zu Schutz und Trutz vor Feind und Fehden...'"[1]

„Wir waren stolz darauf, in einer so wichtigen Stadt zu leben,
stolz darauf, daß wir im Falle eines Atomkrieges
die ersten Opfer sein würden. Auf uns waren schließlich
die Raketen der ganzen Welt gerichtet. (...)
Wir lebten, die Köpfe hoch, den Sternen zugewandt."[2]

1.1. Gegenstand

In der sibirischen Stadt Seversk wurde im August 2000 eine Umfrage durchgeführt, die ein Novum seit ihrer Gründung 1949 darstellte: Die Bewohner wurden unter anderem mit der Frage konfrontiert, ob sie eine Öffnung ihrer mit Stacheldraht umgebenen Stadt wünschten. Darauf antworteten 94 Prozent der Befragten mit einem klaren „Nein".[3] Einige Monate später erklärte ein Wissenschaftler während eines Gesprächs: „Seversk ist eben, ähnlich wie Monaco, eine eigene Republik, es hat seine eigenen Grenzen, eigene Grenztruppen – ja, sogar seine eigene Flagge!"[4]

Seversk (besser bekannt als „Tomsk-7") ist Teil eines ganzen Systems von ungewöhnlichen urbanen Gebilden, von denen lange Zeit kaum mehr bekannt war, als daß sie auf keiner offiziellen Landkarte des sowjetischen Rie-

---

[1] A.S. Puschkin: Der Eherne Reiter. Ein episches Gedicht. Übertr. v. W.E. Groeger, Berlin 1922, S. 15.

[2] S. Wassilenko: Stadt hinter Stacheldraht. Erzählungen aus Rußland. Reinbek bei Hamburg 1992, S. 10.

[3] Umfrage in Seversk, August 2000, S. 6. Die Kopie der Fragebogen und deren Auswertung befinden sich im Besitz des Autors.

[4] Vgl. das Interview mit dem Kernchemiker V.N. Osipov in Seversk, 04.01.2001 (Tonmitschnitt im Besitz des Autors). Osipov ist ehemaliger Mitarbeiter des sowjetischen Atomministeriums Minsredmaš und Mitglied der Kommunistischen Partei der Russischen Föderation.

senreiches verzeichnet waren. Gleichwohl war ihre Existenz kein echtes Geheimnis, denn auf westlicher Seite bestanden durchaus vage Vorstellungen über Zweck und Aufgaben dieser „verbotenen" Städte. Für einen Teil der heute noch gesperrten Städte Rußlands gilt, daß ihr Entstehen unmittelbar zusammenhängt mit den fieberhaften Anstrengungen des sowjetischen Atombombenprogramms, die Amerikaner ab Mitte der 1940er Jahre in der Entwicklung einer eigenen nuklearen Vernichtungswaffe einzuholen.[5] Amerikanische Spionagesatelliten lieferten später Einzelheiten über einige der streng abgeschirmten „Objekte". Jedoch erst in den späten 1970er Jahren traten die Umrisse eines ganzen Systems von „Unstädten" (J. Stadelbauer) hervor, die jenen Teil des sowjetischen „militärisch-industriellen Komplexes" darstellten, der zuvorderst die Entwicklung, den Bau und die industrielle Produktion der sowjetischen Atomwaffen sicherzustellen hatte.[6] Trotz immer neuer Details, die im Verlauf des „Kalten Krieges" besonders in amerikanische Puzzles eingefügt wurden und nach und nach ein verschwommenes Bild freigaben, wurden die Dimensionen dieses „weißen Archipels" (L.V. Al'tšuler) erst Anfang der 1990er Jahre deutlich, als erstmals die geheimen Siedlungsgebilde in offizielle, nunmehr rußländische Bevölkerungsstatistiken aufgenommen wurden. Diese offenbarten eine Zahl von über einer Million Menschen, die bisher formell schlichtweg nicht existiert hatten.[7] Daß zu diesen „Objekten" keinesfalls nur Betriebe der Atomindustrie, sondern nahezu alle Bereiche der sowjetischen Rüstungsindustrie zählten, war kaum erfaßt; noch heute ist ihre zahlenmäßige Größenordnung im sowjetischen und postsowjetischen Raum keineswegs vollkommen überschaubar.[8] Erwähntermaßen blieb das Phänomen der Atomstädte durch die extreme Abschirmung für lange Zeit im Dunkeln. Erst diverse Zwischenfälle wie die spät öffentlich gewordenen Reaktorhavarien von Kyštym (Südural) Mitte der 1950er Jahre und

---

[5]   Vgl. maßgeblich zum sowjetischen Atombombenprogramm A. Heinemann-Grüder: Die Sowjetische Atombombe. Münster 1992, D. Holloway: Stalin and the Bomb. The Soviet Union and Atomic Energy, 1939-1956. New Haven / London 1994.

[6]   J. Stadelbauer: Die Nachfolgestaaten der Sowjetunion. Großraum zwischen Dauer und Wandel. (= Wissenschaftliche Länderkunden 41) Darmstadt 1996, S. 265.

[7]   Vgl. I. Brade (Leibnitz-Institut für Länderkunde Leipzig): Ehemals geschlossene Städte – heute Offshore-Zonen. Unveröffentlichtes Typoskript, Leipzig 1999, S. 1-2.

[8]   Maßgeblich zur Zahlenproblematik geschlossener Städte und Objekte allein nur im postsowjetischen Rußland vgl. R.H. Rowland: Russia's Secret Cities. In: Post-Soviet Geography and Economics 37 (1996), S. 426-462, hier: S. 428-443.

im sibirischen Tomsk-7 1993, vor allem aber die mit dem Zusammenbruch der Sowjetunion entstehenden wirtschaftlichen Probleme und die daraus resultierende Angst vor einer drohenden Gefahr durch Proliferation von atomwaffenfähigen Materialien und der Abwanderung von Wissenschaftlern, einem *brain drain*, ließen die geschlossenen Städte in das Licht der Weltöffentlichkeit rücken.[9] Weil deutlich wurde, daß der historisch wie sicherheitspolitisch kaum erforschte „nukleare Archipel" der ehemaligen Sowjetunion ein enormes Gefahrenpotential in sich bergen könnte, sind seit letzter Zeit Anstrengungen zum Aufspüren und Lösen der konkreten Probleme unternommen worden. Angeführt von US-amerikanischer Seite, beschäftigt sich eine Reihe von Initiativen mit Fragen der Sicherung und Stabilisierung der nach dem Ende des „Kalten Krieges" unter gewaltigem Legitimationsdruck stehenden ehemals geheimen Städte, unter denen die russischen Atomstädte eine herausragende Position einnehmen.

---

[9] Zu den nuklearen Havarien vgl. Zh. Medvedev: Nuclear Disaster in the Urals. New York 1979, P.R. Pryde / D.J. Bradley: The Geography of Radioactive Contamination in the Former USSR. In: Post-Soviet Geography 35 (1994), S. 557-593, hier: S. 579-582, A.G. Nazarov: Radiacionnaja bezopasnost' i radiacionnye katastrofy. In: Nauka i bezopasnost' Rossii. Istoriko-naučnye, metodologičeskie, istoriko-techničeskie aspekty. Otv. red. A.G. Nazarov, Moskva 2000, S. 397-324, hier: S. 402-406.

1.2. Begriffliche Unterscheidung

Es ist nötig, eine Unterscheidung in „geschlossene" (bzw. „gesperrte") einerseits und „geheime" (bzw. „verbotene") Städte andererseits vorzunehmen, um den Bereich der vorliegenden Arbeit deutlicher abzugrenzen, zumal auch die Forschung oft keine klare Trennung der Begriffe unternimmt und deshalb bisweilen etwas unsicher mit diesen Begrifflichkeiten hantiert. Unter „geschlossenen" oder „gesperrten" Städten sind demnach diejenigen Städte zu verstehen, die durch ein 1932 eingeführtes strenges Paß- und Meldesystem für unberechtigte Personen offiziell nicht zugänglich waren. Darunter zählen Personen sowjetischer Herkunft, denen im Rahmen einer Kampagne zur Regulierung der Landflucht der Paß und damit die offizielle Genehmigung zum ständigen Aufenthalt in den Städten versagt blieb.[10] Dabei stellten Städte und Regionen mit besonderen industriellen Schwerpunkten wie etwa Sverdlovsk (Ekaterinburg) und Gor'kij (Nižnij Novgorod) oder Marinestützpunkte wie Murmansk und Vladivostok eine besondere Form der zivilen Städte dar, die vor allem für Ausländer geschlossen waren.[11] Derartige Orte gab es zur Zeit des „Kalten Krieges" in vielen Ländern der Erde, etwa mit den Zentren der Flugzeugindustrie Seattle und Dallas in den USA. Innerhalb der Sowjetunion waren offiziell immerhin über 90 Prozent des Staatsterritoriums für Ausländer gesperrt.[12]

Unter die Kategorie „geheime" oder „verbotene" Städte hingegen fallen all jene Orte, die durch Stacheldraht und militärische Bewachung von der Außenwelt hermetisch abgeschirmt wurden und in denen ein besonderes Sicherheits- und Geheimhaltungsregime herrschte. Derartige Siedlungen wurden

---

[10] Vgl. „Izmenenija pasportnoj sistemy nosjat prinicipjal'no važnyj charakter." Kak sozdavalas' i razvivalas' pasportnaja sistema v strane. In: Istočnik. Dokumenty russkoj istorii 49 (1997) 6, S. 101-121, hier: S. 101, V. Zaslavsky: In geschlossener Gesellschaft. Gleichgewicht und Widerspruch im sowjetischen Alltag. Berlin 1982, S. 124-138.

[11] Vgl. Rowland, S. 426-427, Stadelbauer, S. 265-265. Vgl. außerdem S. Fitzpatrick: A Closed City and Its Secret Archives: Notes on a Journey to the Urals. In: Journal of Modern History 62 (1990), S. 771-781.

[12] Vgl. Zakrytye atomnye goroda Rossii (osobennosti razvitija i upravlenija). Otv. red. E.G. Animica, Ekaterinburg 2002, S. 7. Eine Autorin gibt die Zahl von 77 „geschlossenen" Großstädte in der Sowjetunion an, vgl. C. Buckley: The Myth of Managed Migration: Migration Control and Market in the Soviet Period. In: Slavic Review 54 (1995), S. 896-916, hier: S. 906.

zumeist in der unmittelbaren Nähe größerer militärischer Anlagen oder wissenschaftlicher Forschungseinrichtungen mit militärisch-technischem Profil errichtet, aber auch unweit von Marinebasen und anderen militärischen Objekten.[13] Alle diese Städte waren einem besonderen Regime unterzogen, ihre „Geschlossenheit" war keine bloße Metapher, sondern Realität. Die Städte und kleineren Orte erhielten Tarnbezeichnungen und waren auf keiner offiziellen Karte verzeichnet; ihre Erwähnung fehlte in Nachschlagewerken und den öffentlichen Medien. Dies galt für viele Gebilde des „militärisch-industriellen" und vor allem des „militärisch-industriell-akademischen" Komplexes[14] der Sowjetunion, es kann dabei offenbar von der erstaunlichen Zahl von 40 bis etwa 50 unterschiedlichen „Objekten" ausgegangen werden.[15] Zahlenmäßig überwiegen dabei heute die Gebilde des Ministeriums für Verteidigung der Russischen Föderation (*Minoborony*), mit einem Sonderstatus aufgrund ihrer militärischen Bedeutung als Marine- oder Raketenbasen.[16] Die zehn Städte des Ministeriums für Atomenergie der Russischen Föderation (*Minatom*), also jene Städte, die als erste „Objekte" der sowjetischen Atomindustrie entstanden, nehmen allerdings im Grad ihrer Abgeschirmtheit und Unabhängigkeit von der äußeren Umgebung, vor allem aber durch die Beständigkeit ihres Geheimstatus, eine besondere Position unter den „verbotenen" Städten ein.

---

[13] Vgl. ebd., S. 9.

[14] Vgl. N.S. Simonov: Voenno-promyšlennyj kompleks SSSR v 1920-1950-e gody: tempy ėkonomičeskogo rosta, struktura, organizacija proizvodstva i upravlenie. Moskva 1996. Zur Problematik des Begriffs „militärisch-industrieller Komplex" vgl. D. Holloway: The Soviet Union and the Arms Race. 3. Aufl., New Haven / London 1983, S. 156-160, Albrecht / Nikutta, S. 297-324. Zur Unterscheidung beider Begriffe vgl. M. Uhl: Zur Geschichte der sowjetischen Rüstungsindustrie (RGAĖ) von 1945-1965. Das russische Staatsarchiv für Wirtschaft und seine Bestände. In: S. Creuzberger / R. Lindner (Hrsg.): Russische Archive und Geschichtswissenschaft. Rechtsgrundlagen, Arbeitsbedingungen, Forschungsperspektiven. (= Zeitgeschichte Kommunismus Stalinismus. Materialien und Forschungen 2) Frankfurt am Main 2003, S. 263-280, hier: S. 265-267.

[15] Vgl. Zakrytye atomnye goroda Rossii, S. 430.

[16] Rowland geht von insgesamt 41 geschlossenen Städten und Siedlungen städtischen Charakters (*zakrytye poselki gorodskogo tipa*) aus, darunter befinden sich wenigstens 23 Städte des MO, vgl. Rowland, S. 430. Eine russische Studie kann gar 43 geschlossene Städte und Siedlungen städtischen Charakters belegen, verweist jedoch auf die noch höhere Zahl von 47 Städten und Siedlungen städtischen Charakters die mit dem ZATO-Gesetz 1992 „enttarnt" wurden, vgl. Zakrytye atomnye goroda Rossii, S. 12 und 42-44.

Die eben vorgenommene Unterscheidung kann jedoch nur bis Anfang der 1990er Jahre konsequent verfolgt werden, nicht zuletzt, weil sich mit dem Ende der Sowjetunion eine Öffnung der bisher „geschlossenen" Städte auch für Ausländer vollzog. Diese Städte öffneten sich für Ausländer gemäß eines Erlasses des Ministerrats der UdSSR vom 8. Dezember 1990.[17] Wenig später – genauer im Juli 1992 – setzte sich im offiziellen russischen Sprachgebrauch eine Bezeichnung nicht nur für die Atomstädte, sondern aller ehemals geheimer und heute noch immer „verbotener" Gebilde durch, sie lautet „Geschlossene administrativ-territoriale Einrichtungen" (*Zakrytye administrativno-territorial'nye obrazovanija*, ZATO). Ein Gesetz vom 14. Juli 1992 definierte ein ZATO als

> „ein territoriales Gebilde mit einer eigenen lokalen Verwaltung, innerhalb dessen Grenzen sich Industrieunternehmen für die Entwicklung, die Herstellung, die Lagerung und die Verwertung von Waffenvernichtungswaffen und für die Verarbeitung radioaktiver und anderer Materialien, und ebenso militärische und andere Anlagen befinden (...) die ein besonderes Regime von Sicherheitsmaßnahmen und Mittel zum Schutz des Staatsgeheimnisses erfordern und spezielle Aufenthaltsbedingungen der Bürger mit einschließen."[18]

Dabei existierten in der Sowjetunion mehr als nur die zehn Atomstädte der heutigen Russischen Föderation, bekannt sind Orte wie das Kernwaffentestgelände Semipalatinsk-21 in der Kasachischen SSR oder Anlagen in der Nähe von Leninabad in der Tadžikischen SSR.[19] Da jedoch die tatsächliche zahlenmäßige Größenordnung sowjetischer Atomstädte schwer zu überprüfen ist, vor allem aber aussagekräftiges Quellenmaterial fast ausschließlich nur für die *Minatom*-Gebilde zur Verfügung steht, wird sich die vorliegende Arbeit vorrangig auf die zehn russischen Atomstädte konzentrieren.[20]

---

[17] Vgl. ebd., S. 8.

[18] Federal'nyj zakon Rossijskoj Federacii ot 14 ijulja 1992 g. № 3297-1 „O zakrytom administrativno-territorial'nom obrazovanii". Im Internet unter: http://www.minatom.ru/presscenter/document/norm_doc/fz/fz_03.doc (10.12.2003).

[19] Vgl. I. Trutanow: Die Hölle von Semipalatinsk. Ein Bericht. Berlin / Weimar 1992, Vyderžki iz donesenija člena central'nogo provoda, rukovoditelja SB „Michajlo" v adres Šucheviča – osnovnogo provodnika OUN na Ukraine. In: N.S. Chruščev: Vremja, ljudi, vlast'. Vospominanija v 4-ch tomach. Kn. 2, Moskva 1999, S. 730-737, hier: S. 732.

[20] Siehe Karte im Anhang.

1.3. Zielsetzung und Fragestellung

Matthias Uhl formulierte kürzlich in seinem Aufsatz zur sowjetischen Rüstungspolitik der Jahre 1945 bis 1965 noch offene Forschungsfragen im Zusammenhang mit der Problematik der Atomstädte. So sei für die Gewinnung neuer Erkenntnisse im Bereich der sowjetischen Rüstungsindustrie und –politik beispielsweise zu fragen, wie geheime Rüstungsstädtchen funktionierten und welche materiellen, gesellschaftlichen und kulturellen Anreize in ihnen von der sowjetischen Führung für die Deckung des ständigen Arbeitskräftebedarfs geschaffen wurden. Künftige Mikrostudien seien notwendig für die Erforschung der Sozial- und Alltagsgeschichte derartiger Gebilde.[21] Dies deutet darauf hin, daß wir es mit aktuellen Forschungsfragen zu tun haben. An sie will sich die vorliegende Arbeit heranwagen, wenngleich detaillierte Mikrostudien für jede einzelne Atomstadt aufgrund des teilweise lückenhaften Quellenmaterials nicht möglich sind. Aber es kann eine Untersuchung des *Systems* der Atomstädte vorgenommen werden, die sich mit den Fragen der Entstehung, der Besonderheiten und des Funktionierens von „verbotenen" Städten auseinandersetzt.

Dabei fällt zunächst der Umstand der enormen Aufwendung von finanziellen und menschlichen Ressourcen für das sowjetische Atombombenbauprogramm seit Mitte der 1940er Jahre auf. Dieser Aufwand ist auch angesichts der allseits bekannten weltmachtpolitischen Ambitionen der sowjetischen Führung und den damit zusammenhängenden verstärkten Anstrengungen um einen machtpolitischen Wettlauf mit den USA nach dem Zweiten Weltkrieg außerordentlich erstaunlich. Doch diese extreme Mobilisierung materieller und geistiger Mittel durch die vom (in vielerlei Hinsicht) verlustreichen Weltkrieg geschwächte Sowjetunion scheint nicht allein bedingt zu sein durch einen „Adrenalinstoß", hervorgerufen durch die amerikanischen Atombombenabwürfe auf Hiroshima und Nagasaki im August 1945. Ein Blick auf die sowjetischen Großprojekte der 1930er Jahre, beispielsweise den Bau des Weißmeer-Ostsee-Kanals, der Moskauer Metro oder das gewaltige Eisenhüttenwerk der Retortenstadt Magnitogorsk im südlichen Ural, offenbart in der militärischen Entschlossenheit zur Überwindung von technischen und wirt-

---

schaftlichen Schwierigkeiten Parallelen zum Mammutprojekt der sowjetischen Atombombe. Kann daher bei dem sowjetischen Atomprojekt im Hinblick auf die Methode der 1930er Jahre, bauliche Großvorhaben durch eine militärische Organisation zu verwirklichen, von einer Kontinuität die Rede sein? Inwieweit prägte die „mentale Militarisierung" von Wissenschaftlern und Ingenieuren in der Vorkriegszeit die am Bau der sowjetischen Atombombe beteiligte wissenschaftlich-technische Elite?

Um eine Kernwaffe zu entwickeln, sind nicht allein hohe technische und materielle Voraussetzungen maßgeblich; ebenso ist ein wahres Heer von qualifizierten und vor allem belastbaren Wissenschaftlern vonnöten. Daß die Sowjetunion nach dem Krieg kaum in der Lage war, die wissenschaftlichen, geschweige denn die materiellen Voraussetzungen zur Forschung und Herstellung der neuen Vernichtungswaffe bereitstellen zu können, galt als offenes Geheimnis.[22] Es mußte vielerlei kompensiert werden: Ein enormes Wissensdefizit, der deutliche Material- und Erfahrungsmangel. Nicht zuletzt bestand ein großer Zeitdruck, den die Sowjetführung sich selbst und allen am Atomprojekt Beteiligten auferlegt hatte. Stalins Anordnung von 1945 war unmißverständlich: Innerhalb von fünf Jahren mußte die sowjetische Atombombe fertiggestellt sein.[23] Für diese anspruchsvolle Aufgabe war die Mobilisierung von Wissenschaftlern nötig, die nicht nur in der Lage waren, dem gewaltigen Zeit- und Leistungsdruck standzuhalten, der insbesondere in der Anfangsphase lebensbedrohlich für sie war, sondern die auch durch Aufopferungsbereitschaft und Enthusiasmus die erwähnten Mängel wettmachen konnten. Diese Wissenschaftler wurden sorgfältig ausgewählt und arbeiteten unter Hochdruck an der streng geheimen Aufgabe, umgeben von einem rigorosen Sicherheits- und Geheimhaltungsregime, das unter anderem eine extreme Beschränkung der eigenen Bewegungsfreiheit, andererseits aber auch ein privilegiertes, von Versorgungsengpässen unbehelligtes Leben bedeutete. Was motivierte die Wissenschaftler für die Arbeit an einem Ort, über dessen Lage und Aufgabe sie kein Wort verlieren durften? Wie äußerten sich

---

[22] Der Direktor der CIA Admiral R.H. Hillenkoeter versicherte Präsident Truman 1948, daß die Sowjetunion nicht vor Mitte 1950, wahrscheinlicher jedoch nicht vor Mitte 1953 in den Besitz einer Atombombe gelangen könne. Vgl. Holloway: Stalin and the Bomb, S. 220.

[23] Vgl. ebd.

sowohl das Streben nach größtmöglicher Geheimhaltung, als auch Druck und Vergünstigungen? Bewirkten die enormen Privilegien in den geheimen Städten gar ein Schrumpfen der in der „Außenwelt" unbesehen großen Kluft zwischen sozialistischem Anspruch und der sowjetischen Wirklichkeit? Errichtete man also „sozialistische Reservate", die aufgrund ihrer Größe und der Zusammensetzung ihrer Bewohnerschaft einfacher zu kontrollieren waren? Wurden Atomstädte bewußt mit ideologischer Zielstellung gegründet und als sozialistischer „Laborversuch" benutzt?

In Anbetracht der Tatsache, daß im Zuge des US-amerikanischen Atombombenprojekts ebenfalls geheime Einrichtungen und sogar ganze „verbotene" Städte entstanden, erscheint eine Herausarbeitung der Gemeinsamkeiten und Unterschiede zwischen den Vorhaben beider Länder angebracht. Ein Blick auf das sowjetisch-amerikanische Verhältnis und die sowjetische Orientierung an amerikanischen Projekten vielfältigster Art seit den einsetzenden Industrialisierungsbemühungen unter Stalin ist ohnehin interessant. Allerdings soll ein solcher Vergleich vorrangig zum Ziel des Aufspürens und der Verdeutlichung „typischer" Eigenheiten des sowjetischen Atomprojekts erfolgen – worin lagen überhaupt die Spezifika des sowjetischen Nuklearunternehmens?

Als die Sowjetunion 1991 zerfiel und damit auch der „Kalte Krieg" ein Ende fand, offenbarten sich die geheimen Orte als eines der wohl problematischsten Überbleibsel der Sowjetunion: Der im Vergleich zum übrigen Land überdurchschnittlich hohe Lebensstandard der Bevölkerung von nach und nach enttarnten Städten ist nun nicht mehr zu halten. Mehr noch: Das System der russischen Atomstädte ist unter gewaltigen Legitimationszwang geraten, weil ihre große Aufgabe, den „atomaren Schild der Heimat" aufrecht zu erhalten, mittlerweile obsolet geworden ist. Die daraus entstehenden Probleme lassen sich denken; daß ein einstmals durch Prämien und Auszeichnungen gefüttertes Elitenbewußtsein durch einen jähen Bedeutungsverlust einen erheblichen Schlag erhalten kann, liegt auf der Hand. Durch die besondere Abgeschottetheit geschlossener Gebilde bedingt, lassen sich „normale" Transformationskonzepte hier nicht oder allenfalls nur in äußerst begrenztem Maße anwenden, Stimmen, die von „sozialistischen Inseln", von einer weiterexistierenden, „kleinen" Sowjetunion sprechen, sind laut geworden.[24] Doch die (vor allem im Westen) wohl meistgefürchtete Folge eines sozialen Kollaps' in den heutigen Atomstädten ist ein mögliches Abtrünnigwerden von Wissenschaftlern, die durch die Weitergabe von *know-how* und gar atomwaffenfähigem Material an nukleare Schwellenländer das Absinken ihres sozialen Status' aufzuhalten versuchen könnten. Gerade diese Befürchtung ist nicht unbegründet, wie mehrere Fälle von versuchtem Nuklearschmuggel in der Vergangenheit gezeigt haben. Immer wieder beteuern jedoch die in den Atomstädten verbliebenen russischen Wissenschaftler, daß solche Szenarien aufgrund der hohen Sicherheitsstandards und des klaren moralischen Kodex' ehemals sowjetischer Wissenschaftler kaum möglich seien. Bedauerlicherweise läßt sich der Zeitraum ab Mitte der 1950er bis Ende der 1980er Jahre für das System der sowjetischen Atomstädte kaum rekonstruieren, weil das verfügbare Archivmaterial und die Erinnerungen Beteiligter über die „unspektakuläre" Phase nach der Entwicklung der Wasserstoffbombe und Stalins Tod kaum Auskunft geben. Deshalb soll dieser Zeitraum in der Arbeit nicht behandelt werden. Es soll mit dem abschließenden Kapitel der Arbeit eine Art Ausblick vorgenommen und die Situation der Atomstädte des heutigen Rußlands analysiert werden. Dies ist, angesichts der erwähnten Probleme, auch nötig: Wie real ist die Gefahr nuklearer Proliferation durch enttäuschte Atom-Wissenschaftler, die Privilegien und gesellschaftliche Anerkennung schwinden sehen? Welche Anstrengungen werden zur Verhinderung derartiger Katastrophen unternommen? Und schließlich: Bestehen Alternativen zu einer Öffnung der geschlossenen Gebilde?

---

[24] Die norwegische Nichtregierungsorganisation „Bellona" veröffentlichte im Internet die Einschätzung einer russischen Soziologin (N. Kutepova), die alle Atomstädte als „small-scaled Soviet Union" bezeichnet. Vgl. http://www.bellona.no/en/international/ russia/nuke_industry/siberia/mayak/27864.html (06.08.2003).

1.4. Materiallage

Forschungsstand

Die Zündung der ersten amerikanischen Atomwaffe, spätestens aber der Bombenabwurf auf die japanischen Städte Hiroshima und Nagasaki im August 1945 hatten eine wahre Flut von Publikationen zur Folge.[25] Als Ausdruck der großen Popularität des Themas erschienen bereits in den 1950er und 1960er Jahren fundiertere Untersuchungen zur amerikanischen Atomindustrie und den Hintergründen des „Manhattan Project"[26]; einschlägige Darstellungen des analogen sowjetischen Unternehmens fehlten jedoch vollständig. Die westliche Forschung erfuhr erst durch die Arbeiten von Andreas Heinemann-Grüder 1992 und vor allem von David Holloway 1994 eine maßgebliche Bereicherung, weil sie erstmals umfassende Studien zur Entwicklung der ersten sowjetischen Atombombe liefern konnten. Während Heinemann-Grüder aufgrund der außerordentlich dünnen Materiallage dieser Thematik lediglich den Weg der sowjetischen Atomphysik über umfangreiche Spionage bis hin zur Erprobung der ersten Bombe untersuchen konnte, gelang Holloways akribischer Arbeit auch eine erste – wenngleich noch immer vage – Darstellung der organisatorischen Hintergründe und des Lebensalltags innerhalb der sowjetischen Atomindustrie.[27] Dabei ist hervorzuheben, daß eben jene Problematik der besonderen Lebensumstände in den geheimen „Objekten" der sowjetischen Atomindustrie zugunsten von Untersuchungen rein technikgeschichtlicher Aspekte häufig unbeachtet blieb und nach wie vor bleibt. Dies gilt auch für Christoph Mick und Matthias Uhl, die sich beide mit

---

[25] Vgl. etwa G.W.F. Hallgarten: Das Wettrüsten. Seine Geschichte bis zur Gegenwart. Frankfurt am Main 1967, v.a. S. 273-290, H. Feis: The Atomic Bomb and the End of World War II. Princeton 1971, J. Wheeler-Bennett / A. Nicholls: The Semblance of Peace. London 1972, M.J. Sherwin: A World Destroyed. The Atomic Bomb and the Great Alliance. New York 1975, R. Rhodes: The Making of the Atomic Bomb. New York 1987.

[26] Vgl. R. Jungk: Brighter Than a Thousand Suns. The Moral and Political History of the Atomic Scientists. London 1958 (Deutsche Ausgabe: Heller als tausend Sonnen. Das Schicksal der Atomforscher. Bern / Stuttgart 1963), S. Groueff: Manhattan Project. The Untold Story of the Making of the Atomic Bomb. London 1967 (Deutsche Ausgabe: Projekt ohne Gnade. Das Abenteuer der amerikanischen Atomindustrie. Gütersloh 1968).

[27] Vgl. Holloway: Stalin and the Bomb, S. 172-223.

dem nach Ende des Zweiten Weltkrieges einsetzenden Transfer von deutschem *know how* in die Sowjetunion und damit auch mit der sowjetischen Rüstungsindustrie auseinandersetzen.[28] Dabei stoßen beide, angesichts der in einigen Bereichen bislang noch immer unklaren Quellenlage, auch an Grenzen bei der Bearbeitung der Atomindustrie, Mick bei der Untersuchung der Arbeit deutscher Forscher im sowjetischen Nuklearbereich und Uhl bei der Strukturanalyse des Rüstungsapparats. Die westliche politikwissenschaftliche Forschung widmet sich gerade seit dem Zerfall der Sowjetunion eingehender dem Problem der Behandlung des atomaren Erbes der einstigen Supermacht und der organisatorischen Strukturen der Atomindustrie.[29] Es findet sich jedoch in der deutschsprachigen Forschung bis 1997 keine nennenswerte Untersuchung des Phänomens „Atomstädte". Zwar wurden diverse Artikel über bekannt gewordene Fälle von Uran- und Plutoniumschmuggel veröffentlicht, sie erscheinen jedoch aufgrund ihrer Vagheit und streckenweise haarsträubend falschen Angaben nur bedingt verwendbar.[30]

Erst Studien der westlichen wie der rußländischen Forschung zu aktuellen Problemen des postsowjetischen Atomsektors (und damit der ehemals geheimen Atomstädte und ihrem ungewissen Schicksal) begannen etwa ab Mitte der 1990er Jahre damit, Besonderheiten der in diesen Städten lebenden Bevölkerung in ihre Überlegungen mit einzubeziehen. Die Schwierigkeit dieser Untersuchungen zeigt sich darin, daß sie die Geschichte von Atom-

---

[28] Vgl. M. Uhl: Stalins V-2. Der Technologietransfer der deutschen Fernwaffentechnik in die UdSSR und der Aufbau der sowjetischen Rüstungsindustrie 1945-1959. Bonn 2001, C. Mick: Forschen für Stalin. Deutsche Fachleute in der sowjetischen Rüstungsindustrie 1945-1958. München u.a. 2000.

[29] Vgl. etwa S. Fischer / O. Nassauer (Hrsg.): Satansfaust. Das nukleare Erbe der Sowjetunion. Berlin / Weimar 1992, I. Bass / L. Dienes: Defense Industry Legacies and Conversion in the Post-Soviet Realm. In: Post-Soviet Geography 34 (1993), S. 302-317, J. Cooper: The conversion of the former Soviet defence industry. London 1993, S.E. Miller: The Former Soviet Union. In: M. Reiss / R.S. Litwak (Hrsg.): Nuclear Proliferation after the Cold War. Washington 1994, S. 89-128, J.H. Noren: The Russian Military-Industrial Sector and Conversion. In: Post-Soviet Geography 35 (1994), S. 495-521, P.R. Pryde / D.J. Bradley: The Geography of Radioactive Contamination in the Former USSR. In: Post-Soviet Geography 35 (1994), S. 557-593. J. Cirincione / J.B. Wolfsthal / M. Rajkunmar: Deadly Arsenals. Tracking Weapons of Mass Destruction. Washington D.C. 2002.

[30] Vgl. etwa E. Siegl: Die Lage in den geschlossenen Nuklearstädten Rußlands: Kartoffelanbau statt Forschung. In: Frankfurter Allgemeine Zeitung, 18. August 1994, S. 5, M. Huber: Zündstoff in Swerdlowsk 44. In: Die Zeit, 29. Juli 1994, S. 10.

städten von der Gründung bis zur Gegenwart allenfalls ansatzweise und nur vom Standpunkt der heutigen Probleme aus betrachten. Als ausgesprochen wertvoll hat sich die Arbeit von V.A. Tichonov erwiesen, weil sie, als erste fundierte soziologische Studie überhaupt, anhand von Umfragen Detailfragen des täglichen Lebens heute in geschlossenen Städten, wie etwa Versorgungs- und Wohnsituation, vergleichend analysiert.[31] Dem amerikanischen Geographen R.H. Rowland gelang es, Klarheit über das wahrhaft chaotische System der geschlossenen Städte und Siedlungen Rußlands zu verschaffen, er mußte jedoch feststellen, daß, trotz der von ihm erstellten profunden Statistiken über Zahl und Größe von geschlossenen Gebilden des postsowjetischen Raums, aufgrund ihres sich ständig wandelnden Charakters definitive Aussagen außerordentlich schwierig sind.[32] Ernsthafte Versuche, die Geschichte geschlossener, ehemals geheimer Gebilde der sowjetischen Atomindustrie mit ihren heutigen Problemen in Beziehung zu setzen, wurden 1997 durch G. Lappo und P. Poljan überzeugend unternommen. Allerdings ist diese Untersuchung durch ihren politikwissenschaftlich orientierten Ansatz gekennzeichnet und weniger durch Fragestellungen soziologischer oder gar historischer Art..[33] Weitere Studien wurden von S.K. Weiner und G. Brock veröffentlicht, bei ihnen stehen allerdings ebenfalls politikwissenschaftlich dominierte Fragestellungen zu Problemen der Budgetsituation russischer Atomstädte oder der Gefahr nuklearer Proliferation im Vordergrund.[34] P.R. Josephson untersucht zwar soziokulturelle Auswirkungen des sowjetischen Nuklearprogramms, hat sich jedoch vor allem auf die friedliche Nutzung der Atomenergie konzentriert und den – für die vorliegende Arbeit ja besonders

---

[31] Vgl. V.A. Tichonov: Zarytye goroda v otkrytom obščestve. Moskva 1996.

[32] Vgl. Rowland, S. 426-430.

[33] Vgl. G. Lappo / P. Poljan: Transformation der geschlossenen Städte Rußlands. (= Berichte des Bundesinstituts für ostwissenschaftliche und internationale Studien 6/1997) Köln 1997.

[34] Vgl. S.K. Weiner: Preventing Nuclear Enterpreneurship in Russia's Nuclear Cities. In: International Security 27 (2002) 2, S. 126-158, G. Brock: Public Finance in the ZATO Archipelago. In: Europe-Asia Studies 50 (1998), S. 1065-1082, ders.: The ZATO Archipelago Revisited – Is the Federal Government Loosening Its Grip? A Research Note. In: Europe-Asia Studies 52 (2000), S. 1349-1360. Vgl. weiterhin O.R. Coté, Jr.: The Russian Nuclear Archipelago. In: G.T. Allison: Avoiding nuclear anarchy: Containing the threat of loose Russian nuclear weapons and fissile material. Cambridge, Mass. / London 1996, S. 177-202.

interessanten – militärischen Sektor beiseite gelassen.[35] Die aufgrund ihres Blicks auf das System der Atomstädte wohl umfassendste, jedoch trotz ihres erkennbar wissenschaftlichen Anspruchs mit spürbarem pathetischem Kolorit versehene Arbeit zur Thematik „sowjetische / russische Atomstädte" wurde von dem Ekaterinburger Autorenkollektiv um E.G. Animica vorgelegt. Der Wert dieser stadthistorischen Untersuchung zeigt sich vor allem in der methodischen Analyse des Phänomens der Geschlossenheit von urbanen Gebilden mit all seinen Unterformen, diese orientiert sich jedoch – wie ihr Titel bereits ausweist – vor allem an der Gegenwart und nur in zweiter Linie an den Anfängen von abgeriegelten „Objekten".[36]

Einige Atomstädte haben eigene Untersuchungen hervorgebracht, so beschäftigen sich Historiker und Anthropologen (zumeist im Auftrag und unter Kontrolle der jeweiligen Stadtadministrationen) verstärkt mit den prähistorischen Siedlungsanfängen im Umkreis der späteren „Objekte" und mit der Bedeutung der jeweiligen Stadt im sowjetischen Atomprojekt.[37] Hierzu wird zwar streckenweise sehr sorgfältig und um eine möglichst umfassende Darstellung bemüht gearbeitet, doch wie häufig in der rußländischen Forschung werden die dafür verwandten Quellen zumeist mit keinem Wort erwähnt. So ist zumeist unklar, ob beispielsweise Angaben über Zahlen von Häftlingen im Zusammenhang mit dem Bau der atomaren Anlagen vor Ort verläßlichen Quellen entstammen.[38]

Alles in allem darf behauptet werden, daß die Erforschung des Alltags sowjetischer Atomstädte und eine Analyse ihrer sozialen Besonderheiten von der Forschung allenfalls ansatzweise unternommen wurde; die westliche Forschung orientiert sich vor allem an Problemen der Gegenwart (die jedoch ihre Wurzeln in der Vergangenheit haben) und rußländische Untersuchungen wa-

---

[35] P.R. Josephson: Red Atom. Russia's Nuclear Power Program from Stalin to Today. New York 2000, ders.: Rockets, Reactors and Soviet Culture. In: L. Graham (ed.): Science and the Soviet Social Order. Cambridge 1990, S. 168-191, ders.: Atomic-Powered Communism: Nuclear Culture in the Postwar USSR. In: Slavic Review 55 (1996), S. 297-324.

[36] Vgl. Zakrytye atomnye goroda Rossii, S. 6-21.

[37] Vgl. etwa S.P. Kučin: Poljanskij ITL (Gulag – ugolovnyj). Dokumental'no-istoričeskoe povestvovanie ob ispravitel'no-trudovom lagere „Poljanskij" (iz cikla „Istorija goroda"). Železnogorsk (Krasnojarsk-26) 1999, Istorija Severska. Otv. red. V.P. Zinov'ev, Tomsk 1999.

[38] Vgl. Istorija Severska, S. 35-41.

gen nur selten einen Blick über den „Tellerrand" einer Stadt hinaus und müssen sich bisweilen zudem wissenschaftliche Ungenauigkeiten vorwerfen lassen. Bislang fehlen zur Thematik der Atomstädte Studien mit klarer historischer Fragestellung.

Quellenlage

Für die Arbeit sind drei Quellengruppen maßgeblich: Zum einen sind dies die Memoiren von Beteiligten des sowjetischen Atomprojekts, zumeist von Wissenschaftlern und Technikern. Weiterhin wurden in der Vergangenheit Interviews geführt, bei denen die Befragten ihre Erlebnisse im sowjetischen Atombereich schilderten. Schließlich ist auch ein Teil der „offiziellen" behördlichen Dokumente verfügbar, sie betreffen vor allem die organisatorische Struktur des Nuklearbereichs, aber auch verschiedene Probleme des Lebensalltags innerhalb der sowjetischen Atomindustrie.

a)   Memoiren: Durch die persönlichen Erinnerungen treten, neben teilweise verblüffenden Einzelheiten des technischen Alltags, auch Gefühle und Wertungen zutage. Die jahrzehntelange strenge Geheimhaltung, die auf dem Gebiet der sowjetischen Kernforschung lastete, ließ allenfalls vage Vermutungen über das sowjetische Atombombenprojekt und die Entwicklung des komplett neuen Zweiges der Atomindustrie zu. Erste, durchaus erstaunliche Erkenntnisse brachten die Berichte und Erinnerungen von zeitweise in der Sowjetunion tätigen deutschen Wissenschaftlern.[39] Diese ließen jedoch durch eigene Unkenntnis der genauen Umstände und auch durch die Bereitschaft zur Geheimhaltung – wie etwa bei Manfred von Ardenne – noch viele Bereiche der sowjetischen militärischen Atomforschung im Dunkeln. Während nähere Informationen im Bezug auf das amerikanische Bombenprogramm vergleichsweise schnell öffentlich wurden[40], waren

---

[39]   Vgl. H. u. E. Barwich: Das rote Atom. München / Bern 1967, M. v. Ardenne: Ein glückliches Leben für Technik und Forschung. Autobiographie. 4., überarb. u. erg. Aufl., Berlin (Ost) 1976, M. Steenbeck: Impulse und Wirkungen. Schritte auf meinem Lebensweg. Berlin (Ost) 1977, N. Riehl: Zehn Jahre im goldenen Käfig. Erlebnisse beim Aufbau der sowjetischen Uran-Industrie. Stuttgart 1988.

[40]   Vgl. etwa L.R. Groves: Now it can be Told. The Story of the Manhattan Project. New York u.a. 1962.

sowjetische Atomspezialisten und ehemalige höhere Führungspersönlichkeiten erst nach dem Einsetzen der *perestrojka* bereit, einige wenige Details des eigenen Atombombenprojekts preiszugeben.[41] In den späten 1990er Jahren tauchten Erinnerungen auf, die genaueste Auskunft über Einzelheiten des Geheimhaltungsregimes im Bezug auf die „verbotenen" Städte lieferten.[42] Aufgrund ihrer erstaunlichen Offenheit und Erklärungsbereitschaft geben sie Anlaß zu der Vermutung, die Haltung der ehemaligen Beteiligten des sowjetischen Atomprogramms sei allmählich entspannter geworden. Dabei dürften die Ausführungen des ehemaligen Geheimdienstlers F.D. Popov die erste umfassende – gleichwohl unübersehbar apologetisch geprägte – Darstellung der Lebensumstände in einer geheimen Atomstadt sein, die nicht nur auf die rein organisatorische Ebene des sowjetischen Atomprojekts oder auf die Umstände der (pro-) sowjetischen Spionage eingehen.

Memoiren galten vielfach als „weiche" und daher unzuverlässige Quellen, weil sie oftmals angeblich die geschehene „Wirklichkeit" durch Hinzufügungen oder Weglassungen verzerren. Ihre Verwendung birgt in der Tat gewisse Risiken, weil die Autoren ihre Erinnerungen - bewußt oder unbewußt - einfärben, weil sie Entscheidungen rechtfertigen, Anschauungen in Schutz nehmen oder bisher scheinbar falsche Darstellungen geraderücken wollen. Dieses Phänomen ist besonders in einem Bereich zu beobachten, der über lange Jahre strengster Geheimhaltung unterlag und zudem an die Entwicklung einer der verheerendsten Waffen der Menschheit geknüpft ist. Eine Rekonstruktion der „Wirklichkeit", des „tatsächlichen Lebens", ist trotz bekannter Fakten jedoch nicht möglich, weil es das wertfreie, „authentische Leben" nicht gibt.[43] Die Memoiren können mit ihren Deutungen

---

[41] Vgl. M.G. Pervuchin: „Pervye gody atomnogo proekta." In: Chimija i žizn' (1985), S. 62-69 (Als vollständiger Text: Ders.: „Kak byla rešena atomnaja problema v našej strane." In: Novaja i novejšaja istorija (2001) 5, S. 121-136.), A. Sacharow: Mein Leben. München / Zürich 1991.

[42] Vgl. F.D. Popov: Arzamas-16. Sem' let s Andreem Sacharovym – vospominanija kontrrazvedčika. Murmansk 1998.

[43] Vgl. S. Schattenberg: Stalins Ingenieure. Lebenswelten zwischen Technik und Terror in den 1930er Jahren. München 2002, S. 29.

und Wertmaßstäben die maßgeblichen Orientierungspunkte nicht nur dort liefern, wo Protokolle und Verordnungen keine Auskunft mehr geben können. So boten die Erinnerungen von Manfred von Ardenne und Heinz Barwich für lange Zeit die einzigen Zeitzeugnisse von geheimen „Objekten" und den Lebensumständen in ihnen. Dabei unterscheiden sich die Schilderungen beider Autoren streckenweise erheblich. Während der in die DDR zurückgekehrte von Ardenne seine Arbeit in einem geheimen Forschungsinstitut am Schwarzen Meer als Tätigkeit „im Dienst der Wissenschaft" harmlos-anekdotenhaft zu verklären schien, unterzog Barwich nach seiner Flucht in die BRD die Umstände in der sowjetischen Atomindustrie einer teilweise scharfen Kritik. Der häufig als „Vater der Wasserstoffbombe" bezeichnete A.D. Sacharov weigerte sich, trotz seiner als namhafter Dissident unverhohlen kritischen Haltung gegenüber dem Sowjetregime, auf bestimmte Einzelheiten seiner Arbeit im „sowjetischen Los Alamos" Arzamas-16 näher einzugehen.[44] Dabei schweigen einige Autoren bewußt zu Fragen, die mit technischen Problemen der Atomwaffe in Verbindung stehen, teils, weil „es sich nicht gehört", über geheime Dinge zu sprechen, teils, weil sie Angst vor Verfolgung haben. Stattdessen konzentrieren sie sich auf Themen, die ihnen „unverfänglich" erscheinen und berichten von ihrem Alltag und dessen sozialen Besonderheiten, was für diese Arbeit weitaus wertvoller ist, als die bloße Schilderung technischer Einzelheiten.

b)   Interviews: Unmittelbar nach dem Zerfall der Sowjetunion besuchte ein russischer Journalist 1992 die ehemals geheime Stadt Arzamas-16 (das heutige Sarov) und konnte als Erster einige der führenden Nuklearwissenschaftler des Landes zu einem Interview bewegen.[45] Er

---

[44] Vgl. Sacharow: Mein Leben, S. 127.

[45] Vgl. W. Gubarew: Arsamas-16. Die Wissenschaftler der geheimen Atomstadt brechen das Schweigen. Berlin 1993. Gubarew hat sich auch nach Erscheinen dieses Bandes weiterhin mit der Problematik beschäftigt und konnte jüngst eine weitere Arbeit veröffentlichen, in der Interviews mit Atomforschern collagenhaft mit ehemals geheimen Dokumenten zu einer Darstellung verknüpft werden, die die Geschichte des sowjetischen Atombombenprojekts „erzählen" will. Vgl. V. Gubarev: Belyj Archipelag Stalina. Doku-

mußte dabei während seiner Gespräche die Erfahrung machen, daß die dort arbeitenden Atomspezialisten mitunter noch enorme Schwierigkeiten im unbefangenen Umgang mit „Außenstehenden" besaßen. Die in Interviews kühl-ablehnende und einsilbige Art einiger Wissenschaftler gegenüber Gesprächspartnern ist geradezu berüchtigt.[46] Bei vielen dieser und anderer Gespräche[47] mit Vertretern der „Außenwelt" und ihren Vertretern ist deutlich ein großes Bedürfnis festzustellen, Zusammenhänge erklären und sich rechtfertigen zu wollen. Zudem sind viele Aussagen an die Überzeugung geknüpft, daß Laien von den tatsächlichen Vorgängen, von der „Realität" im sowjetischen Atomprojekt, also auch in den Atomstädten, keine Ahnung hätten, und auch deshalb wird die kritische Haltung der Öffentlichkeit verurteilt. Die Bereitschaft zu Aussagen und auch deren Inhalt sind stark vom jeweiligen Gesprächspartner abhängig. Dennoch haben die Interviews den Vorteil, daß sie bei vorwiegend ähnlich gestellten Fragen eine Reihe unterschiedlicher oder gleichlautender Antworten zur Folge haben können, sich also beispielsweise beobachten läßt, daß die Masse der befragten Wissenschaftler ein Abtrünnigwerden von Atomspezialisten für unwahrscheinlich hält.[48]

c) „Offizielle" Dokumente: Nahezu jedes schriftliche Dokument, das in Zusammenhang mit dem sowjetischen Atomprojekt stand, fiel unter die Geheimhaltung und wurde jahrzehntelang unter Verschluß gehalten. Wissenschaftler waren gezwungen, ihre Informationen aus den publizierten Erinnerungen, persönlichen Interviews mit am Atompro-

---

mental'noe povestvovanie o sozdanii jadernoj bomby, osnovannoe na rassekrečennych materialach „Atomnogo proekta SSSR". Moskva 2004.

[46] Vgl. ebd., S. 157-158, O. Moros / Ju. Chariton: Um der nuklearen Parität willen. In: Andrej Sacharow. Ein Porträt aus Dokumenten, Erinnerungen und Fotos. Leipzig / Weimar 1991, S. 129-151, hier: S. 129-130.

[47] Vgl. „Po trevoge". Rasskaz upolnomočennogo Gosudarstvennogo komiteta oborony S.V. Kaftanova. In: Chimija i žizn' (1985) 3, S. 6-10, A.P. Aleksandrov: „Kak delali bombu." In: Izvestija, 28. Juli 1988, S. 3, L.V. Al'tšuler: „Tak my delali bombu." In: Literaturnaja gazeta, 26. Juni 1990, S. 13, H. Barwich: „Jedes Blatt Papier war numeriert...". Professor Heinz Barwich über die Atomforschung in den Ostblockstaaten. In: Der Spiegel 44 (1965), S. 160-170.

[48] Vgl. Gubarew, S. 87 und S. 117-118.

jekt Beteiligten zu erlangen und aus spärlichen, offiziell zugänglichen Daten Details mühevoll zu rekonstruieren.[49] Erst im Zuge der allmählichen Öffnung russischer Archive nach dem Zerfall der Sowjetunion wurden immer mehr behördliche Schriftstücke freigegeben, zu denen der Zugang – geschweige denn deren Veröffentlichung – kurze Zeit zuvor schlichtweg undenkbar gewesen wäre. Zwar finden sich hin und wieder solche Quellen in Darstellungen[50], doch in Umfang und Gehalt ist die seit 1998 laufende Dokumentenedition „Atomnyj proekt SSSR" bislang unerreicht.[51] Es ist erstaunlich, daß diese Quellensammlung beispielsweise bei Matthias Uhl weder in dessen eingangs erwähntem Aufsatz, noch in seiner 2001 erschienenen Dissertationsschrift Erwähnung findet. Die Edition bietet in ihrer dankenswerten Fülle das gesamte Material zur Beantwortung der von Uhl gestellten Fragen. Überhaupt scheint diese wahre „Dokumentenfundgrube" von der einschlägigen Forschung kaum zur Kenntnis genommen worden zu sein. Allenfalls taucht die Quellensammlung kurz und unkommentiert in Darstellungen der rußländischen Forschung auf, was annehmen läßt, daß sie bislang noch auf ihre Entdeckung und Auswertung warten mußte.[52] Dabei finden sich in den vier bisher erschienenen Bänden mit durchschnittlich jeweils 700 Seiten Stärke – neben früher streng geheimen Dokumenten zur Sträflingsproblematik und zur Tätigkeit der deutschen Wissenschaftler im Atomprojekt – bislang unveröffentlichte Quellen zur Verwaltungsstruktur im sowjetischen Atomprojekt, zur Genese geheimer „Objekte" und zum Lebensalltag in den Atomstädten, die sonst der westlichen Forschung kaum zugänglich wären.[53]

---

[49] Vgl. Holloway: Stalin and the Bomb, S. 6.

[50] Vgl. etwa A.K. Kruglov: Kak sozdavalas' atomnaja promyšlennost' v SSSR. Moskva 1995.

[51] Vgl. Atomnyj proekt SSSR. Dokumenty i materialy. V 3 t., pod obšč. red. L.D. Rjabeva, Moskva 1998 -.

[52] Eine Ausnahme, wenngleich eine nicht zu den Arbeiten der wissenschaftlichen Forschung zu zählende, stellt die erwähnte, jüngst entstandene Veröffentlichung von Vladimir Gubarev dar, der ausgewählte Dokumente aus „Atomnyj proekt SSSR" verarbeitet hat (vgl. FN 45).

[53] So sind auch nach Ablauf der üblichen Dreißig-Jahre-Sperrfrist viele Aktenbestände zur sowjetischen Atomindustrie für westliche Wissenschaftler nicht zugänglich. Es gehört offenbar noch immer zur gängigen Praxis, zur Auswertung derartiger Dokumente

Trotz des Anspruchs der Edition, die Gesamtheit der wichtigsten „offiziellen" Entscheidungen im sowjetischen Atomprojekt zu präsentieren, scheinen hier einige Aspekte – etwa die Orientierung am amerikanischen Projekt oder radioaktive Zwischenfälle gerade in der ersten Zeit – weniger gründlich bearbeitet worden zu sein. Es liegt die Vermutung nahe, daß Zusammenhänge zwischen den befürchteten Auswirkungen derartiger Dokumente auf den Ruf der sowjetischen Atomforschung und der Zusammensetzung des – zweifelsohne handverlesenen – Herausgeberkollektivs unter Vorsitz des Ersten Stellvertretenden Ministers für Atomenergie, L.D. Rjabev, bestehen.[54] Trotz des erwähnten Umfangs an informationsreichem Dokumentenmaterial kann die Edition zu einigen konkreten Fragen keinen rechten Aufschluß bieten. So etwa sind der Status und die Rolle des Objektleiters (*načal'nik ob-ekta*) innerhalb einer sowjetischen Atomstadt noch nicht deutlich geworden. Auch die Bedeutung der Partei im Alltag von geheimen „Objekten" kann aufgrund fehlender Informationen noch nicht untersucht werden; spielte sie dort überhaupt eine nennenswerte Rolle, fand in geheimen „Objekten" Parteiarbeit statt? War Parteikontrolle überhaupt nötig? Es ist deutlich zu beobachten, daß bei der Auswahl der Dokumente etwa die Alltagsproblematik eine untergeordnete Rolle spielte und demgegenüber technische und organisatorische Fragen innerhalb der Gremien des sowjetischen Atomprojekts im Vordergrund stehen. Nicht zuletzt fehlt bislang Quellenmaterial, das über die Zeit nach Stalins Tod Auskunft geben kann, denn am lukrativsten schien bisher offenbar eine Untersuchung der Anfangsphase des Bombenprojekts gewesen zu sein. Weiteres Material für die Zeit nach der ersten Euphorie könnte die Analyse des Alltags in Atomstädten erleichtern helfen.

---

allenfalls handverlesene russische Forscher zuzulassen. Vgl. Mick: Forschen für Stalin, S. 20.

[54] Nach einem Erlaß des Präsidenten der Russischen Föderation vom Februar 1995 sollte ein offizieller Sammelband von Archivdokumenten zur Veröffentlichung gebracht werden, der ein „neues, objektives Bild des Aufbaus der Atomindustrie und der Geschichte des Atombombenbaus in der UdSSR" schaffen sollte. Vgl. Atomnyj proekt SSSR, t. 2, kn. 3, S. 3.

2. Die sowjetische Atombombe

> „„Es muß' und ‚dringend' waren die Worte, mit denen
> der Komsomolze Lewka Rubin aufgewachsen war.
> Es waren die obersten Gebote der dreißiger Jahre
> gewesen. Es gab keinen Stahl, kein Brot, keine
> Textilien – aber es *mußte* das geben, und es mußte
> das *dringend* geben, – also wurden Hochöfen errichtet
> und Eisenhütten in Betrieb genommen."[55]

Für die Untersuchung des sowjetischen Atomprojekts auf seine Besonderheiten hin sind verschiedene Aspekte von Interesse. So gilt es, sich einen Eindruck über die sowjetischen Großprojekte der Zeit vor dem Zweiten Weltkrieg und deren Bedeutung für die Nachkriegszeit, insbesondere für das Großprojekt der Atombombe, zu verschaffen. Dabei dürften die (auch durch besondere Privilegien angefachte) Motivation der Konstrukteurselite und die Orientierung an äußeren Vorbildern von größter Bedeutung sein. Die Betrachtung der konkreten Anfänge des sowjetischen Atomprojekts sind ebenso wie dessen organisatorischer Aufbau nötig für das Verständnis der personellen und strukturellen Zusammenhänge innerhalb des Projekts. In dieser Phase wurden durch Spionage, erste wichtige Personalentscheidungen und konkrete organisatorische Maßnahmen die Weichen für ein sowjetisches Großprojekt gestellt. Die Beteiligung deutscher Wissenschaftler schließlich stellt eine Eigenheit nicht nur der sowjetischen, sondern auch der amerikanisch-britischen Nuklearwaffenforschung dar, ist jedoch vor allem im Hinblick auf ihr Ausmaß, ihre Bedeutung und ihre genaueren Umstände hin zu untersuchen.

---

[55] A. Solschenizyn: Der erste Kreis der Hölle. Stuttgart 1968, S. 618. (Hervorhebungen im Original)

2.1. Sowjetische Ingenieure und Großprojekte der 1930er Jahre

Gerade in der Anfangsphase der Herrschaft Stalins Ende der 1920er – Anfang der 1930er Jahre gehörte es zur sowjetischen Praxis, durch die Planung und Verwirklichung von baulichen Großprojekten dem „sozialistischen Aufbau" im eigenen Land einen entscheidenden Impuls verleihen zu wollen. Der erste Fünfjahrplan von 1927 verdeutlichte bereits, worum es in erster Linie ging: Verunglimpft wurden maßvolle Transformationskonzepte und gedrängt wurde auf eine Hatz nach Rekordziffern und schier unmöglichen Zuwachsraten. Für den „Aufbruch" gelte es, den Fünfjahrplan möglichst in vier Jahren zu erfüllen und in zehn Jahren das nachzuholen, wozu das westliche Europa fünfzig Jahre benötigt habe.[56] In diesem Zusammenhang hatten industrielle Großprojekte einen besonderen Stellenwert, weil sie als Prestigeobjekte des „Aufbruchs" Kräftereserven propagandistisch unterfüttert zu mobilisieren wußten. Eine solche kräftemäßig wie ideologisch enorme Mobilisierung zeigte sich in Vorhaben wie dem Bau der Moskauer Metro, des Weißmeer-Ostsee-Kanals oder des gewaltigen Eisenhüttenwerks der Retortenstadt Magnitogorsk im südlichen Ural.[57] Der Nutzen dieses erheblichen Bauaufwands, der praktisch das ganze Land in eine einzige Großbaustelle verwandelte, wurde jedoch durch die zumeist mangelnde Effizienz der Fertigstellungen in Frage gestellt, zumal die Folgen verheerend waren: Durch den großen Bedarf an Arbeitskräften und einer einhergehenden Landflucht nahm das Versorgungsproblem bedrohliche Ausmaße an. Zudem hinterließ die extreme Eile, mit der die Projekte angetrieben wurden, deutliche Spuren: Die Qualität der Produktion sank, teure importierte Industriewaren verrosteten und viele Finanzmittel versickerten einfach im Boden der Baustellen.[58] Neben

---

[56] Vgl. M. Hildermeier: Die Sowjetunion 1917-1991. (= Oldenbourg Grundriß der Geschichte 31) München 2001, S. 35-36, P.R. Gregory: Before Command. An Economic History of Russia from Emancipation to the First Five-Year Plan. Princeton, N.J. 1994, S. 118-119, A. Nove: An Economic History of the USSR, 1917-1991. 3. Aufl., London 1992, S. 141-158.

[57] Vgl. dazu etwa: D. Neutatz: Die Moskauer Metro. Von den ersten Plänen bis zur Großbaustelle des Stalinismus (1897-1935). Köln / Weimar / Berlin 2001, S. Kotkin: Magnetic Mountain. Stalinism as a Civilization. Berkeley / Los Angeles / London 1995, C.A. Ruder: Making History for Stalin. The Story of Belomorkanal. Gainesville u.a. 1998.

[58] Vgl. L. Erren: Die großen Industrieneubauten des ersten Fünfjahrplans und das Scheitern der „Sozialistischen Stadt". In: Jahrbücher für Geschichte Osteuropas 50 (2002),

der großen Bedeutung der teilweise fürchterlichen Folgen vieler Projekte auf die Umwelt fällt ein weiteres Wesensmerkmal sowjetischer Großvorhaben in Auge: Die Nutzbarmachung einer großen Zahl Sträflinge, die zum Teil zur „Umerziehung" bzw. „Umschmiedung" für schwerste Aufgaben hinzugezogen wurden.[59]

Mit dem Einsetzen der Industrialisierungswelle in der Sowjetunion Ende der 1920er Jahre ist unteilbar das Phänomen des von Parteiführung, Regierung und Medien bewußt vorangetriebenen Amerikanismus (*sovetskij amerikanizm*) verbunden. Auch andere westliche Staaten waren in diesem Zusammenhang von Bedeutung, doch die extreme Orientierung am amerikanischen Vorbild auf technischem, zunehmend auch auf kulturellem Gebiet hatte wohl die nachhaltigsten Auswirkungen für die Sowjetunion. Dabei blieb das Bild vom Ausland ambivalent, keinesfalls eindeutig; es schwankte mit der jeweiligen politischen Stimmung zwischen Ideal und Feindbild der sowjetischen Öffentlichkeit.[60] Dabei, so scheint es, überwog eine nutzenorientierte Haltung: Egal, ob das Ausland verehrt, verteufelt, umworben oder strikt abgelehnt wurde, entscheidend war, daß sich die Sowjetunion alle für ihren eigenen sozialistischen Aufbau wichtigen technischen Errungenschaften des ausländischen Gegenübers gelehrig aneignen und diese gar noch überflügeln konnte.[61] Diese Methode hatte neben dem tatsächlichen Ein- und Überholen der Amerikaner bei Großprojekten ein zusätzliches Ziel: Es sollte suggeriert werden, daß sich ein eigener sowjetischer, vom Ausland unabhängiger Stil im Vorantreiben des Fortschritts entwickeln würde. Wenn sich die Unterschiede zu westlichen industriellen Großprojekten auch weniger im Kern, als vielmehr im Ausmaß äußerten[62], so beschritt die Sowjetunion in der Tat bald einen eigenen Weg. Obgleich dies so sicher nicht beabsichtigt war, zählen zwei Dinge zu den augenfälligsten Eigenheiten der meisten sowjetischen Groß-

---

S. 577-596, D. van Laak: Weiße Elefanten. Anspruch und Scheitern technischer Großprojekte im 20. Jahrhundert. Stuttgart 1999.

[59] Vgl. K. Gestwa: Herrschaft und Technik in der spät- und poststalinistischen Sowjetunion. Machtverhältnisse auf den „Großbauten des Kommunismus". In: Creuzberger / Lindner, S. 167-193, hier: S. 173-176.

[60] Vgl. Schattenberg, S. 273.

[61] Vgl. ebd.

[62] Vgl. ebd., S. 173.

vorhaben: Der propagandistische Aufwand für eine breit angelegte ideologische Inszenierung und der massenhafte Einsatz von Zwangsarbeitern.

Im Hinblick auf die großen infrastrukturellen und wirtschaftlichen Defizite der frühen Sowjetunion ist die Art und Weise, mit der eine derart aufwendige Mobilisierung von Kräften und Finanzen betrieben wurde, durchaus bemerkenswert. Dietmar Neutatz lieferte in seiner Arbeit zum Bau der Moskauer Metro die Kernthese in diesem Zusammenhang: Der enorme Kräfteaufwand für ein derartiges Großvorhaben konnte innerhalb knappster Fristen nur durch einen „künstlich herbeigeführten inneren Kriegszustand" geleistet werden, der die Arbeit auf den Baustellen zu einem aktiven Kampf gegen die inneren und äußeren „Feinde" werden ließ.[63] Diese, durch die Simulation eines „Kriegszustandes zu Friedenszeiten" verursachte, permanente „mentale Dauermilitarisierung" der Arbeiter aber auch der Ingenieure und Wissenschaftler ist ebenso für eine Betrachtung der nach dem Zweiten Weltkrieg einsetzenden konkreten Anstrengungen zur Entwicklung einer sowjetischen Atombombe durchaus interessant. Wie sonst ließe sich die auch am Bau der sowjetischen Bombe gezeigte, nahezu grenzenlose Aufopferungsbereitschaft der Spezialisten unter widrigsten materiellen und schwierigen wissenschaftlichen Umständen erklären? Sicherlich hatten auch allerlei Anreize und Sondervergünstigungen, die bei einem Erfolg winkten, einen großen Anteil an der Motivation zu angestrengter Arbeit. Und doch deutet bei der Planung, Organisation und Durchführung des Großprojekts Atombombe nach dem Zweiten Weltkrieg einiges auf eine Kontinuität im „kriegsmäßigen" Angehen eines Großvorhabens, diesmal unter den Rahmenbedingungen des immer deutlicher hervortretenden Ost-West-Konflikts.

Nach der rigorosen Gleichstellungskampagne in der Frühzeit der Sowjetunion, infolge derer die einfachen Industriearbeiter auf die gleiche Stufe mit den oft als „bürgerliche Schädlinge" bezeichneten Ingenieuren der alten Schule gehoben und möglichst auch bevorzugt behandelt werden sollten, setzte angesichts des stagnierenden Fortschritts ab Anfang der 1930er Jahre ein neues Denken ein. Das Prinzip der Gleichheit aller Arbeiter und Ingenieure wich der realen Einstellung „Leistung muß sich wieder lohnen", wie das Organ des Volkskommissariats für Schwerindustrie 1931 verkündete:

---

[63] Vgl. Neutatz, S. 315

„Es wäre unmenschlich, Opfer im Namen des ‚Allgemein'-Wohls zu fordern, das auch Philister und Nichtsnutze einschließt. (...) Wir, die Avantgarde des kämpfenden Proletariates, rufen Dich zum Kampf für eine bessere Zukunft, aber die Früchte der Anstrengungen, des Risikos, der Opfer, gehören in erster Linie dem, der am meisten und am besten geschafft hat. Dem Erfinder, dem Stoßarbeiter – das beste Stück. Dem Helden – eine Auszeichnung und einen Preis. (...) Den Sozialismus nur für das Versprechen einer besseren Zukunft für die Enkel zu bauen, ist Unsinn. Ohne ‚Interesse' wird nichts herauskommen."[64]

Die Verhältnisse wandelten sich dahingehend, daß Ingenieure und Technikspezialisten den bislang bevorzugten Industriearbeitern nicht nur gleichgestellt, sondern auch bewußt als Elite begünstigt wurden.[65] Die Belohnung von Leistungen für den industriellen Fortschritt des Landes sollte sich in Privilegien wie höheren Löhnen, einer besseren Versorgung vor allem mit Lebensmitteln, komfortableren Wohnungen sowie Urlaubs- und Erholungsreisen niederschlagen. Allerdings bewirkte diese Privilegierung einen regelrechten Verteilungskampf zwischen Arbeitern und Ingenieuren, so daß es zunächst bei der bestehenden Gleichheit und sogar offenen Benachteiligung von Ingenieuren im Vergleich zu einfachen Arbeitern blieb. Aufgrund des Mangels an Mitteln zur Durchsetzung der staatlichen Vorgaben für Leistungslöhne und eine bessere Warenversorgung setzte eine Besserung der Lebensumstände von Ingenieuren und Technikern erst einige Zeit später ein.[66] Mit Unterkünften verhielt es sich ganz ähnlich. Unter der allgemeinen Wohnungsnot hatten auch die Ingenieure zu leiden, obgleich das Problem bald erkannt und durch die Errichtung von ganzen „Wohnkombinaten" zu beheben versucht wurde. Der Luxus geräumiger und komfortabler Quartiere wurde jedoch lediglich einer kleinen Schicht „verdienter" Ingenieure zuteil.[67] In Stalins Sowjetunion bedeuteten Privilegien ganz offenbar nicht erst den konkreten *Besitz* von Waren, Dienstleistungen und Wohnungen, sondern vielmehr schon den bloßen *Zugang* zu diesen Dingen selbst.[68] Die Wohnung wurde beispielsweise zum

---

[64] Zit. nach Schattenberg, S. 289.
[65] Vgl. ebd., S. 290, Neutatz, S. 278.
[66] Vgl. Schattenberg., S. 291-295.
[67] Vgl. ebd., S. 295-303.
[68] Vgl. S. Fitzpatrick: Everyday Stalinism. Ordinary Life in Extraordinary Times: Soviet Russia in the 1930s. New York / Oxford 1999, S. 96-97.

deutlichsten Symbol der Privilegierung; besaß man Anspruch auf eine geräumige und ordentlich ausgestattete Unterkunft, konnte man sich zur Elite zählen.

Der eingangs erwähnte „Krieg im Inneren" zeigte einen stimulierenden Effekt vor allem auf die breite Arbeiterschaft, wenngleich er sich auch mit der Zeit erschöpfte.[69] Das keinesfalls homogene Milieu der Ingenieure verfügte hingegen über eine inhärente, eine ureigene Motivation, die Großprojekte mit großem Enthusiasmus weniger um des sozialistischen Aufbaus willen, als vielmehr wegen konkreter beruflicher Herausforderungen angehen ließ.[70] Unter verheerenden Arbeitsumständen entwickelten die sowjetischen Ingenieure schnell ein eigenes Berufsethos, das sie zu wahren „Meistern der Improvisation, der Pannen-‚Liquidierung' und des Krisenmanagements" machte.[71] Die Arbeit als Ingenieur selbst stand für die meisten Spezialisten im Vordergrund; wenn diese Arbeit zudem mit Privilegien verbunden war, konnte dies durchaus für Höchstleistungen sorgen. Für ihre grundsätzliche Leistungsbereitschaft jedoch waren die ideologischen Vorgaben des politischen Systems, in dem sie arbeiteten, kaum ausschlaggebend.[72] Der Hauptteil der Ingenieure benötigte die extreme propagandistische Inszenierung der sowjetischen Großvorhaben gar nicht, um mit Elan „bei der Sache" zu sein. Dieses Phänomen sollte bei der Durchführung eines weiteren Großprojekts, des der sowjetischen Atombombe, abermals deutlich in Erscheinung treten.

---

[69] Vgl. Neutatz, S. 323.
[70] Vgl. ebd., S. 277, C. Mick: Wissenschaft und Wissenschaftler im Stalinismus. In: S. Plaggenborg (Hrsg.): Stalinismus. Neue Forschungen und Konzepte. Berlin 1998, S. 321-361, hier: S. 356.
[71] Vgl. Schattenberg, S. 421.
[72] Vgl. Neutatz, S. 580.

2.2. Das sowjetische Uranprojekt

Im Frühjahr 1942 machte ein junger Leutnant der Roten Armee auf sich aufmerksam, weil er von der Südwestfront aus in einer wahren Flut von Briefen auf eine Wiederaufnahme der sowjetischen Uranforschung drängte, die durch den Angriff der Deutschen auf die Sowjetunion im Juni 1941 unterbrochen worden war. Wichtiger noch: Er glaubte an die Möglichkeit des Baus einer Atombombe, die ausreiche „für die vollständige Vernichtung Berlins oder Moskaus, abhängig davon, in welchen Händen sich diese Bombe befinden wird."[73] Dieser junge Wissenschaftler, G.N. Flerov, vor dem Krieg selbst an der Entdeckung des spontanen Uranzerfalls beteiligt, war in seiner Position jedoch offenbar nicht herausragend genug, um von den Empfängern seiner Briefe, allen voran der Volkskommissar (Minister)[74] für Höhere Bildung und Beauftragte des Verteidigungskomitees für wissenschaftliche Fragen, S.V. Kaftanov, ernstgenommen zu werden. Erst der Brief Flerovs an Stalin selbst, der angesichts seiner Direktheit erstaunlich wirkt, brachte Bewegung in höhere wissenschaftliche und militärische Kreise. Der gewählte Zeitpunkt und die Art der Bitte Flerovs sind bemerkenswert: Im Dezember des gleichen Jahres gelang den Amerikanern durch die Erzeugung einer nuklearen Kettenreaktion der erste wichtige Schritt hin zu einer Atombombe.

Bereits seit einiger Zeit hatten sowjetische Physiker erstaunt ein eigenartiges Verhalten ihrer westlichen Kollegen registriert: Auf dem Gebiet der Kernphysik hatte sich ein nahezu umfassender Publikationsstop bemerkbar gemacht, was auf eine militärische Bedeutung dieses Wissenschaftszweiges schließen ließ.[75] Dennoch ergriff keiner der sowjetischen Forscher ernsthaft die Gelegenheit, auf diese bedeutsamen Besonderheiten aufmerksam zu machen, zumal der Krieg im eigenen Land andere rüstungstechnische Forschungen, wie etwa für Verbesserungen im Flugzeug- oder Panzerbau, klar in den Vordergrund gerückt hatte. Erst Flerov vermochte aufzurütteln und traf mit seinen eindringlichen Worten den richtigen Nerv, indem er die Gefahr,

---

[73] Kopija černovika pis'ma G.N. Flerova sekretarju I.V. Stalina, genaues Datum unbekannt (ne ranee janvarja 1942 g. - ne pozdnee 5 aprelja 1942 g.) In: Atomnyj proekt SSSR, t. 2, kn. 2, S. 424-425, hier: S. 424.

[74] Im März 1946 wurden die Volkskommissariate wieder in Ministerien umbenannt.

[75] Vgl. U. Albrecht / R. Nikutta: Die sowjetische Rüstungsindustrie. Opladen 1989, S. 101.

den Anschluß an das Ausland zu verpassen, hervorhob und deutlich machte, daß dieses drohende Versäumnis unweigerlich auch eine Suche nach Schuldigen nach sich ziehen werde.[76] Der wohl wichtigste konkrete Vorschlag Flerovs war die Konsultation der bedeutendsten Physiker des Landes, wie etwa A.F. Ioffe, V.G. Chlopin, P.L. Kapica, A.I. Lejpunskij, L.D. Landau, A.P. Alichanov, I.V. Kurčatov, L.A. Arcimovič, Ja.I. Frenkel', Ju.B. Chariton und Ja.B. Zel'dovič.[77] Damit hatte Flerov einen Großteil jener Namen ins Spiel gebracht, die später zu den Schlüsselfiguren des sowjetischen Atombombenprojekts werden sollten.

Ein weiterer Punkt – wohl der eigentlich ausschlaggebende – veranlaßte die sowjetische Führung endlich zu konkreten Schritten: Der sowjetische Geheimdienst war zwischenzeitlich an Informationen gelangt, die auf die Arbeit an Projekten zur Nutzung der Kernenergie für Bomben mit enormer Sprengkraft sowohl im Deutschen Reich, als auch in den USA und Großbritannien hindeuteten.[78] Darunter befand sich angeblich unter anderem das erbeutete Notizbuch eines an der Südfront gefallenen deutschen Offiziers, in dem für den Bau einer Atombombe benötigte Materialien und konkrete Berechnungen aufgelistet waren.[79] Ein bereits 1933 nach Großbritannien emigrierter und dort an den Forschungen an einer nuklearen Bombe beteiligter deutscher Wissenschaftler, der Physiker Klaus Fuchs, hatte im Herbst 1941 angesichts der britisch-amerikanischen Kooperation Kontakt zur sowjetischen Seite aufgenommen, offenbar aus der Überzeugung, daß die Sowjetunion an den Forschungen für eine Atomwaffe beteiligt werden müsse.[80] Über Jahre hinweg

---

[76] Vgl. ebd., Holloway: Stalin and the Bomb, S. 78.

[77] Vgl. Kopija černovika pis'ma G.N. Flerova I.V. Stalinu, 5 aprelja 1942 g. In: Atomnyj proekt SSSR, t. 2, kn. 2, S. 425-426, hier: S. 426.

[78] Vgl. Pis'mo NKVD SSSR v GKO I.V. Stalinu o rabotach po ispol'zovaniju atomnoj ėnergii v voennych celjach za rubežom i neobchodimosti organizacii ėtoj raboty v SSSR, 6 oktjabrja 1942 g. In: Atomnyj proekt SSSR, t. 1, S. 271-272. Vgl. außerdem Holloway: Stalin and the Bomb, S. 81-82. Allerdings, so betont Holloway, habe der deutsche Physiker Heisenberg bereits im Juni 1942 Albert Speer gegenüber geäußert, daß Deutschland nicht in der Lage sei, noch während des Krieges eine Atombombe zu bauen. Vgl. ebd., S. 81.

[79] Vgl. ebd., S. 85, K. Sorokin: Das Manhattan-Projekt des Ostens. In: Fischer / Nassauer, S. 39-49, hier: S. 40.

[80] Vgl. A.S. Feklisov: Podvig Klausa Fuksa. In: Voenno-istoričeskij žurnal (1990) 12, S. 22-29, (1991) 1, S. 34-43, C. Andrew / V. Mitrokhin: The Sword and the Shield. The Mi-

lieferte er der Sowjetunion Unmengen verwertbaren Materials, ohne das diese später schwerlich derart schnell in den Besitz der Plutoniumbombe gekommen wäre. Ausschlaggebend für das Anlaufen neuer sowjetischer Uranforschungen dürfte jedoch die für den Kreml' besorgniserregende Erkenntnis gewesen sein, daß westliche Wissenschaftler den Bau einer Atombombe überhaupt für möglich hielten.[81]

Die erbeuteten Materialien mußten allerdings zunächst ausgewertet werden, was den Mitarbeitern des NKVD enorme Schwierigkeiten bereitete, da es sich bei den Dokumenten um komplexe wissenschaftliche Berechnungen handelte, die nur von Fachleuten verstanden und gedeutet werden konnten. Doch die Auswahl eines für diese brisante Aufgabe qualifizierten und vor allem integeren Wissenschaftlers erwies sich als nicht einfach, denn die meisten der nicht gerade zahlreichen in Frage kommenden Experten waren nicht einmal Mitglieder der Partei und einige – wie etwa Ioffe, Chlopin und Kapica – standen der Realisierbarkeit des technischen Großprojekts Atombombe unverhohlen skeptisch gegenüber.[82] Der de facto durch Stalin selbst zum Leiter des Uranprojekts ernannte V.M. Molotov, Außenminister und stellvertretender Vorsitzender des Staatlichen Komitees für Verteidigung (Gosudarstvennyj komitet oborony, GKO / GOKO), stand bei seiner Suche nach einem wissenschaftlichen Leiter dementsprechend vor keiner einfachen Aufgabe. Den nachhaltigsten Eindruck hinterließ bei ihm offenbar der gerade einmal 40-jährige Igor' V. Kurčatov, ein kaum bekannter Wissenschaftler, der weniger durch brillante Forschungen, als vielmehr durch seine zupackende Art in organisatorischen Fragen aufgefallen war.[83] Als Kurčatov und seinem kleinen Mitarbeiterstab, einer bloßen Handvoll Wissenschaftler, die Aufgabe erteilt wurde, mit geringsten zur Verfügung stehenden Mitteln die britischen und amerikanischen Dokumente für ein eigenes Atomprojekt nutzbar zu machen, erwies sich, daß er für diese Aufgabe genau der richtige Mann war. Der Beginn des Aufbaus des kleinen Forschungsinstitutes mit der Bezeichnung „la-

---

trokhin Archive and the Secret History of the KGB. New Xork 2001, S. 127-132. Holloway: Stalin and the Bomb, S. 83, Heinemann-Grüder, S. 38-39.

[81] Vgl. ebd., S. 40.

[82] Vgl. Ž.A. Medvedev: Kak sozdavalas' atomnaja bomba v SSSR. In: Voprosy istorii (2000) 7, S. 104-115, hier: S. 106-107.

[83] Vgl. I.N. Golowin: I. W. Kurtschatow. Wegbereiter der sowjetischen Atomforschung. Leipzig 1976.

boratorija № 2", zu dessen offiziellem Leiter Kurčatov wenig später ernannt wurde[84], am 15. Februar 1943, markierte den eigentlichen Start des sowjetischen Uranprojekts und damit den Beginn erstmals ernstzunehmender Forschungen zur Konstruktion einer Atomwaffe in der Sowjetunion.[85] Dennoch wäre es wohl irrig anzunehmen, daß diese direkt Stalin unterstehenden Entscheidungen definitiven Charakter besaßen, denn dessen Skepsis gegenüber den Geheimdienstberichten über westliche Atomforschungen war offenbar zu groß, als daß die getroffenen Maßnahmen den Charakter einer „halbherzigen Rückversicherung ‚für den schlimmsten Fall'"[86] hätten übersteigen können.

Mit seiner Mannschaft, die im „Labor Nr. 2" 1943 insgesamt gerade einmal 50 Mann zählte[87] – eine geradezu lächerliche Zahl angesichts des Personalaufwands im amerikanischen Bombenprojekt, das 1944 immerhin rund 200.000 Beschäftigte umfaßte[88] – begann Kurčatov im Seminarstil mit der Erarbeitung aller greifbaren Veröffentlichungen westlicher Wissenschaftler auf dem Gebiet der Kernspaltung. Das wohl wichtigste Ergebnis dieser konzentrierten Arbeit war die Erkenntnis, daß die Atombombe nicht mehr länger ein Fantasieprodukt der fernen Zukunft war, sondern tatsächlich konstruiert werden konnte.[89] Bemerkenswert sind hierbei die enormen materiellen und wissenschaftlichen Vollmachten, die Kurčatov besaß, der erst im Herbst 1943 zum Mitglied der Sowjetischen Akademie der Wissenschaften gewählt wurde.[90]

Scheinbar waren es neue Erkenntnisse aus dem Bereich der Spionage, die auf sowjetischer Seite die Bemühungen um eine Nutzbarmachung von Uran antrieben und bewirkten, daß das Atomprojekt unter die Aufsicht des NKVD

---

[84] Rasporjaženie № 122 po AN SSSR o naznačenii I.V. Kurčatova načal'nikom Laboratorii № 2, 10 marta 1943 g. In: Atomnyj proekt SSSR, t. 1, S. 321.
[85] Vgl. Heinemann-Grüder, S. 48
[86] Ebd., S. 45
[87] Vgl. Albrecht / Nikutta, S. 103.
[88] Vgl. ebd., S. 105.
[89] Vgl. ebd., S. 103.
[90] Kurčatov organisierte später das sowjetische Atombombenprojekt nicht nur von der Uranerzgewinnung bis hin zur Erlangung des waffenfähigen Plutoniums, sondern hatte von Anfang an als einziger Wissenschaftler Zugang zu den Geheimdienstmaterialien. Damit ließen sich im übrigen auch einige der äußerst abrupten Schwenks Kurčatovs im Bezug auf spätere technische Detailfragen in der Entwicklungsphase erklären, die offenbar auf neugewonnenen Erkenntnissen aus Spionageberichten beruhten. Vgl. Heinemann-Grüder, S. 44-45.

gestellt wurde. Mit Lavrentij P. Berija und seinem Stellvertreter A.P. Zavenja-
gin, als Metallurge durchaus ein Mann vom Fach, übernahm Ende 1943 eine
Organisation das Ruder, die sich in der Vielfältigkeit ihrer Aufgabenbereiche
als effektives Lenkungsorgan für die Verwirklichung des Atomprojekts erwies.
Diese Funktionenvielfalt kann, wie es der deutsche Uranexperte Nikolaus
Riehl formulierte,

> „als das Wirken eines riesigen staatlichen Unternehmens dargestellt werden, in dem
> – vom Bewachungspersonal abgesehen – überwiegend, wenn auch nicht ausschließ-
> lich, Strafgefangene arbeiteten, Strafgefangene aller Kategorien, vom gewöhnlichen
> Mörder bis zum politisch suspekten Universitätsprofessor. Das Unternehmen betä-
> tigte sich (...) auf den verschiedensten Gebieten, vom Erbauen von Kanälen bis zum
> Betrieb technischer Entwicklungsstellen und wissenschaftlicher Laboratorien. Zu ei-
> nem solchen Unternehmen gehören natürlich auch Fachleute und Verwaltungsange-
> hörige, die keine Sträflinge sind."[91]

Dabei ist von Bedeutung, daß die Person Berijas in der Frühphase des A-
tomprojekts zunächst keine sonderlich große Rolle gespielt haben dürfte,
denn mit der in dieser Phase so wichtigen Informationsbeschaffung durch
Auslandsspionage war der 1943 aus dem Bestand des NKVD herausgelöste
Staatssicherheitsdienst NKGB (*Narodnyj komissariat gosudarstvennoj bezopasnosti*) unter Führung von V.N. Merkulov beauftragt. Berija gewann erst ab
der zweiten Hälfte des Jahres 1945 nennenswerte Bedeutung, als er zum
Verantwortlichen für das Atomprojekt ernannt wurde, wobei ihm seine Erfahrung in der Verwaltung der Milizeinheiten und dem System des GULag von
größtem Nutzen gewesen sein dürfte. Die Rolle von GULag-Häftlingen im
sowjetischen Atomprojekt soll jedoch im Kapitel 3.1. noch genauer untersucht
werden.

Während der Konferenzen von Jalta und Teheran zeichnete sich recht
deutlich ab, daß die USA Vergeltungsschläge gegen Japan planten; auf der
Konferenz von Potsdam erwähnte Truman sogar offen Stalin gegenüber, daß
die Vereinigten Staaten nun im Besitz einer Waffe wären, die um ein Vielfaches mächtiger als alle bisherigen Bomben sei. Zur großen Enttäuschung der
Amerikaner zeigte Stalin hingegen kaum Reaktionen, was die Vermutung na-
helegt, daß er bereits von dem geglückten Atombombentest in der Wüste von

---

[91]   Riehl, S. 37.

Nevada im Juli 1945 wußte. Allerdings schien ihm die weltpolitische Bedeutung der neuen Waffe, der Zusammenhang zwischen Atombombe und internationalen Beziehungen, zum Zeitpunkt der Potsdamer Konferenz nicht vollkommen klar zu sein, womit sich seine unbeeindruckte Haltung gegenüber
der Nachricht von einer amerikanischen Atombombe ebensogut erklären ließe.[92] In der Tat dürften erst die beiden Atombombenabwürfe auf Hiroshima
und Nagasaki Anfang August 1945 die „Hochphase" des sowjetischen Atomprojekts eingeläutet haben. Der geglückte Test in den USA hatte zwar beunruhigend gewirkt, gravierender war für die sowjetische Führung jedoch die
Tatsache, daß die Bombe tatsächlich eingesetzt werden konnte und mit derart verheerenden Folgen ein überlegenes Druckmittel im internationalen
Mächtegefüge darstellte.

Ganz offenbar infolge der beiden amerikanischen Atombombenexplosio-
nen in Japan wurde am 20. August 1945 ein „Spezialkomitee" gegründet, das
mit allen wichtigen Aufgaben im Atombereich betraut wurde. Diese spezielle
und hochgeheime Einrichtung sollte in den folgenden Jahren einen Umfang
erreichen, der einem normalen Volkskommissariat mindestens ebenbürtig
war. Mit dem „Spezialkomitee" wurde ein effektiver Apparat geschaffen, der
Kurčatov die Möglichkeit gab, die an ihn gestellte Frage nach der Dauer der
Entwicklungszeit für eine sowjetische Atombombe eindeutig zu beantworten:
Fünf Jahre würden für die Herstellung der Bombe vonnöten sein – bereits
nach vier Jahren sollte die erste sowjetische Atombombe gezündet werden.

---

[92]   Vgl. G.K. Schukow: Erinnerungen und Gedanken. Stuttgart 1969, S. 653, Holloway:
Stalin and the Bomb, S. 117.

2.3. Hierarchien

Zu den zentralen Problemen der sowjetischen Planwirtschaft gehörte die Tatsache, daß ein enorm aufgeblähter bürokratischer Apparat selbst kleinste Entscheidungen extrem verkomplizierte und entsprechende Beschlußfindungen durch ein hochkomplexes System von Anträgen und Rechtfertigungen außerordentlich verlangsamt wurden. Das planwirtschaftliche System mit seinen starren Vorgaben und daraus resultierenden Informationsschwierigkeiten auf vertikaler sowie den von großer Konkurrenz um staatliche Ressourcen geprägten Beziehungen auf horizontaler Ebene der Hierarchie hatte sich für eine reibungslose Arbeit an dringlichen Projekten als zu schwerfällig erwiesen.[93] Um die Entscheidungsprozesse zu beschleunigen und besonders im Hinblick auf den Wettlauf mit den Amerikanern im Bombenprojekt das eigene Projekt anpassungsfähiger an neue Spionageinformationen zu machen, wurde eine Organisationsform geschaffen, die sich auch schon im Krieg bewährt hatte. Sogenannte „Spezialkomitees" hatten die Aufgabe, auf den wichtigen Sektoren Entscheidungen zu beschleunigen und Mittel schnell und unbürokratisch an die entsprechenden Stellen zu leiten. Der erhebliche Aufwand bei den militärischen Schlüsselressorts Atomenergie, Radar- und Raketentechnik konnte nur durch eine gezielte Konzentration erheblicher Mittel bewältigt werden, mit der einzelne Ministerien jedoch vollkommen überfordert gewesen wären. Stattdessen wurden zusätzlich Spezialkomitees eingerichtet und mit einflußreichen Personen besetzt, die durch ihr gehöriges Machtpotential und ihre Nähe zu Stalin gekennzeichnet waren.[94]

Das am 20. August 1945 gegründete und dem Staatlichen Verteidigungskomitee, später dem Rat der Volkskommissare direkt unterstellte Spezialkomitee für den Atomsektor mit dem Vorsitzenden Berija an der Spitze, hatte einen großen Aufgabenbereich mit bedeutenden Vollmachten. Hierzu zählten die Durchführung der wissenschaftlichen Forschungsarbeiten, die Erschließung von Uranlagerstätten und die Schaffung einer Rohstoffbasis für die Ge-

---

[93] Vgl. G. Meyer: Bürokratischer Sozialismus. Eine Analyse des sowjetischen Herrschaftssystems. Stuttgart 1977, D.K. Rowney: Transition to Technocracy. The Structural Origins of the Soviet Administrative State. Ithaca / London, 1989, A. Nove: Das sowjetische Wirtschaftssystem. Baden-Baden 1980, E.P. Hoffmann / R.F. Laird: Technocratic Socialism. The Soviet Union in the Advanced Industrial Era. Durham 1985.
[94] Vgl. Mick: Forschen für Stalin, S. 119-120.

winnung von industriell verwertbarem Uran, die Organisation einer leistungs-
fähigen Uranverarbeitungsindustrie und der Bau der für die Entwicklung und
den Bau einer Atombombe notwendigen Anlagen und Einrichtungen.[95] Die
Mitglieder des Komitees waren neben dem Vorsitzenden Berija der Sekretär
des Zentralkomitees der KPSS G.M. Malenkov, der Volkskommissar für
Chemische Industrie M.G. Pervuchin, der Vorsitzende der zentralen staatlichen Planbehörde Gosplan N.A. Voznesenskij, Volkskommissar für Munition
B.L. Vannikov, Berijas bisheriger Stellvertreter im Innenministerium Zavenjagin, der militärische Experte General V.A. Machnev sowie die Wissenschaftler Kurčatov und Kapica. Das Spezialkomitee unterteilte sich in die
Erste Hauptverwaltung (*Pervoe glavnoe upravlenie*, PGU) und den Technischen Rat (*Techničeskij sovet*, TS). Der zweite Stellvertreter Berijas im Spezialkomitee, Volkskommissar für Munition Vannikov, wurde mit der Leitung
des PGU betraut. Sein Aufgabenbereich umfaßte die Leitung aller prakti-
schen Arbeiten im Atomprojekt, also des Aufbaus der Atomindustrie, der Beschaffung der nötigen Rohstoffe und der Organisation der Forschungsarbeit.
Die Fülle an Privilegien und Aufgaben des PGU ließen es zu einem gewaltigen Organ, einem „Supernarkomat", anwachsen.[96] Für die Prüfung wissenschaftlicher und technischer Fragen wurde auf gleicher Ebene die Gründung
eines Technischen Rates angeordnet, dessen Vorsitzender ebenfalls Vannikov wurde, und der sich aus den führenden sowjetischen Wissenschaftlern
auf dem Gebiet der Atomphysik und -chemie zusammensetzte.[97]

Wenige Wochen später erfolgte per Verordnung mit dem Ingenieur-Technischen Rat (ITS) und seinen fünf einzelnen Sektionen die Schaffung eines
dritten, zusätzlichen Gremiums, das mit der Lösung praxisbezogener Aufgaben, besonders im Bereich des Aufbaus der geplanten industriellen Anlagen,
betraut wurde.[98] Eine weitere Person spielte in der Organisation der sowjetischen Atomindustrie eine wichtige Rolle; A.P. Zavenjagin, ein Fachmann auf
dem Gebiet der Metallurgie und in den 1930er Jahren Direktor der Metallurgi-

---

[95] Vgl. Postanovlenie GOKO № 9887 ss/op „O Special'nom komitete pri GOKO", 20 avgusta 1945 g. In: Atomnyj proekt SSSR, t. 2, kn. 1, S. 11-13, hier: S. 11.

[96] Vgl. Medvedev: Atomnaja bomba, S. 111.

[97] Vgl. Postanovlenie GOKO № 9887 ss/op „O Special'nom komitete pri GOKO", 20 a-
vgusta 1945 g. In: Atomnyj proekt SSSR, t. 2, kn. 1, S. 11-13, hier: S. 11-12.

[98] Vgl. Protokol № 9 zasedanija Special'nogo komiteta pri Sovnarkome, 30 nojabrja 1945
g. In: Atomnyj proekt SSSR, t. 2, kn. 1, S. 44-52, hier: S. 45-46.

schen Kombinate von Magnitogorsk und Noril'sk[99], der weithin als die rechte
Hand Berijas galt. Er war in den meisten Gremien des Spezialkomitees ver-
treten, zudem wurde ihm mit der Neunten Verwaltung beim Innenministerium
(*Ministerstvo vnutrennich del*, MVD) eine eigene Behörde unterstellt, die zwar
parallel und unabhängig von den Gremien des Spezialkomitees bestand, jedoch eng mit dem PGU zusammenarbeitete. Die Neunte Verwaltung des
MVD übernahm einen Teil der Aufgaben im Atombereich, etwa die Aufsicht
über die deutschen Spezialisten in der Sowjetunion und den gesamten Komplex der Arbeiten von der Förderung des Urans bis hin zur Gewinnung von
hochangereichertem Uran-235 und Plutonium.[100] Zavenjagin wurde 1955 als
Nachfolger von V.A. Malyšev Leiter des am 26. Juni 1953 (unmittelbar nach
der Verhaftung Berijas) gegründeten Ministeriums für Mittleren Maschinenbau
(*Ministerstvo srednego mašinostroenija*, MSM), dem die einstigen Einrichtungen des Spezialkomitees und des PGU unterstellt wurden.

Das eigentlich Bemerkenswerte an dem nun unter Hochdruck arbeitenden
Spezialkomitee, jenes „atomaren Politbüros" (Ž.A. Medvedev), waren die umfangreichen Privilegien, die es im Vergleich zu anderen staatlichen Institu-
tionen besaß. So verfügte es über einen eigenen Organisationsapparat, einen eigenen Kostenplan und ein eigenes laufendes Konto bei der Staats-
bank. Zudem war der Personalbestand des PGU von jeglicher Registrierung
in den staatlichen Finanzinstitutionen befreit, dabei bezog die Einrichtung ihre
Mittel aus einem für „spezielle" Ausgaben eigens eingerichteten Fond des
Unionsbudgets.[101] Das Spezialkomitee war jedoch nicht nur von der Abhängigkeit von den allgemeinen finanziellen Planvorgaben befreit, sondern konnte in dringenden Fragen – zur Wahrung der „operativen" Erfüllung gestellter
Aufgaben – Entscheidungen direkt vom Vorsitzenden des Staatlichen Verteidigungskomitees (des Rates der Volkskommissare), Stalin selbst, erbitten.[102]
Eine weitere Besonderheit des neuen Organisationsapparats war dessen ab-
solute Geheimhaltung. Nirgends tauchten Informationen auf, die Aufschluß

---

[99] Vgl. Holloway: Stalin and the Bomb, S. 452.

[100] Vgl. Postanovlenie SNK SSSR № 3117-937 ss „O 9-m Upravlenii NKVD SSSR", 19
dekabrja 1945 g. In: Atomnyj proekt SSSR, t. 2, kn. 2, S. 81-82. Vgl. weiterhin Atomnyj
proekt SSSR, t. 2, kn. 3, S. 842.

[101] Vgl. Postanovlenie GOKO № 9887 ss/op „O Special'nom komitete pri GOKO", 20 a-
vgusta 1945 g. In: Atomnyj proekt SSSR, t. 2, kn. 1, S. 11-13, hier: S. 12-13.

[102] Vgl. ebd.

über Aufgaben und Umfang der hochspezialisierten Gremien zugelassen hätten. Noch Ende der 1920er Jahre war die Zugangsbeschränkung zu bestimmten Informationen in rüstungstechnischen Bereichen von den Bol'ševiki geradezu erbittert als „Geheimniskrämerei" der alten Ingenieurselite bekämpft und eine Öffnung für eine „Kontrolle" durch die breitere Arbeiterschaft gefordert worden.[103] Mittlerweile war die Geheimhaltung jedoch zu einem festen Bestandteil der meisten staatlichen Bereiche geworden.

Die beiden Schlüsselfiguren in der Hierarchie des sowjetischen Atomprojekts waren zweifellos Stalin und Berija, von ihnen gingen die zentralen Impulse aus. Über die exakte Verwaltungsstruktur innerhalb des Projekts sind nur wenige Einzelheiten bekannt. Stalin dürfte beispielsweise nur selten direkt in konkrete Entscheidungen eingegriffen haben, so daß das Dickicht der in den unteren Verwaltungsebenen getroffenen Beschlüsse und aller mit ihnen verflochtenen Personen erst entwirrt werden muß, um konkretere Rückschlüsse auf das Funktionieren dieses hochgeheimen Organisationsapparats ziehen zu können. So läßt sich anhand unzähliger Protokolle, Berichte und Verordnungen selbst bei marginalen technischen oder personellen Fragen feststellen, daß Berija als Vorsitzender des Spezialkomitees offenbar über mehrere Sekretariate verfügte, in denen der Schriftverkehr mit dem PGU regelrecht „monströse Ausmaße" annahm.[104] Dabei erwies er sich in seiner Funktion als Verantwortlicher für das Atomprojekt durch seine organisatorischen Fähigkeiten – er konnte offenbar nicht nur durch furchteinflößendes Gebaren enormen Druck ausüben, sondern auch durch außerordentlich schnelle und unkomplizierte Entscheidungen Probleme vielfältigster Art lösen – als weitaus fähiger, als es Molotov in seiner Beauftragtenfunktion für das Atomprojekt in der Anfangszeit gewesen war.[105] Berija seinerseits wandte sich direkt an Stalin, um Entscheidungen bezüglich geplanter Verordnungen des Ministerrats zu erbitten, die zumeist am gleichen Tag noch von Stalin un-

---

[103] Vgl. D.R. Stone: Hammer and Rifle. The Militarization of the Soviet Union, 1926-1933. Lawrence 2000, S. 79-81.

[104] Vgl. V. Knoll / L. Kölm (Hrsg.): Der Fall Berija. Protokoll einer Abrechnung. Das Plenum des ZK der KPdSU Juli 1953. Stenographischer Bericht, 2. Aufl., Berlin 1999, S. 254.

[105] Vgl. Yu. Khariton / Yu. Smirnov: The Khariton Version. In: The Bulletin of the Atomic Scientists (1993) 5, S. 20-31. Internetversion: http://www.thebulletin.org/issues/1993/may93/may93Khariton.html (10.10. 2003), A. Knight: Beria, Stalin's First Lieutenant. Princeton, N.J. 1993, S. 135-140.

terschrieben wurden. Es entsprach jedoch auch der gängigen Praxis in diesem (noch immer) „bürokratischen Komplex mit autokratischer Spitze" (C. Mick), daß sich Stalin über Ergebnisse im Atombombenprojekt regelmäßig Bericht erstatten ließ.[106] Daß anläßlich der erfolgreichen Zündung der ersten sowjetischen Atombombe von 32 Wissenschaftlern und „Spezialisten" ein Dankesschreiben an Stalin gesandt wurde, verdeutlicht allerdings weniger die kompetente und wirksame Führungsrolle des Diktators, sondern gehörte bei der Erfüllung von staatswichtigen Aufgaben anscheinend „einfach dazu".[107]

Selbstverständlich beherrschte vor allem die Ehrfurcht gegenüber Stalin nahezu alle im Atomprojekt Beschäftigten, beim nicht weniger gefürchteten Berija aber liefen alle Fäden des Projekts zusammen. Offenbar betrachtete er das sowjetische Bombenprojekt als seine persönliche Aufgabe, sein „Kind" – nicht ohne Grund wohl wurden die entstehenden Atomstädte als „Patenkinder Lawrentij Berijas" bezeichnet[108] – die extreme Konzentrierung aller Kompetenzen auf seine eigene Person wurde ihm nach Stalins Tod als ein Punkt in der langen Liste seiner Vergehen angekreidet.[109]

---

[106] Vgl. etwa Dokladnaja zapiska L.P. Berija, I.V. Kurčatova, B.L. Vannikova, M.G. Pervuchina na imja I.V. Stalina o puske 25 dekabrja 1946 goda opytnogo uran-grafitovogo reaktora, 28 dekabrja 1946 g. In: Atomnyj proekt SSSR, t. 2, kn. 1, S. 631-632, Doklad L.P. Berija i I.V. Kurčatova I.V. Stalinu o predvaritel'nych dannych, polučennych pri ispytanii atomnoj bomby, 30 avgusta 1949 g. In: Atomnyj proekt SSSR, t. 2, kn. 1, S. 639-643.

[107] Vgl. Blagodarstvennoe pis'mo L.P. Berija, učennych i specialistov I.V. Stalinu za vysokuju ocenku raboty v oblasti proizvodstva atomnoj ėnergii i sozdanija atomnogo oružija, 18 nojabrja 1949 g. In: Atomnyj proekt SSSR, t. 2, kn. 1, S. 658-659.

[108] Vgl. Lappo / Poljan, S. 16, Al'tšuler.

[109] Vgl. Knoll / Kölm, S. 252-253.

2.4. Deutsche Wissenschaftler

Als nach dem Sieg über das Deutsche Reich die Rote Armee weite Teile des Landes besetzt hatte, hielten sich in ihren Reihen einige sowjetische Wissenschaftler auf deutschem Gebiet auf, um sich auf die Suche nach nutzbarem Material und notwendiger Ausrüstung für das sowjetische Atomprojekt zu machen. Dabei spielte der Umstand eine große Rolle, daß die Sowjetunion zu jener Zeit weder über genügend Uran – die Mengen reinen Materials überschritten kaum die Kilogrammgrenze – noch über ausreichende Vorräte Schweren Wassers verfügte. Beides, wie auch enorme Mengen an Graphit, war unabdingbar für den Bau eines ersten Testreaktors zur Herstellung spaltfähigen Materials.[110] Da die geologische Erschließung von Uranlagerstätten auf dem Gebiet der Sowjetunion ernsthaft erst mit der „heißen Phase" nach Hiroshima und Nagasaki beginnen sollte, versuchte man, Rohstoffe aus den besetzten Gebieten nutzbar zu machen. Dabei war vor allem deshalb Eile geboten, weil die Amerikaner und die Briten ihrerseits die besetzten Gebiete systematisch nach rüstungstechnisch verwertbarem Material durchkämmten.[111] Unter den wichtigen Orten befanden sich, neben den Uranlagerstätten in der Tschechoslowakei, Polen und Bulgarien, auch die uranhaltigen Erze im Südosten des sowjetisch besetzten deutschen Gebietes. Da das besiegte Deutschland nicht nur über günstige geologische Voraussetzungen, sondern auch über einen Stab herausragender Forscher verfügte, begann die Delegation führender sowjetischer Physiker und Chemiker, unter ihnen Chariton, Arcimovič, Flerov und I.K. Kikoin, in der Uniform von Offizieren des NKVD, auch mit der Suche nach deutschen Wissenschaftlern.[112] Viele von ihnen waren den sowjetischen Forschern aus früheren wissenschaftlichen Publikationen bekannt, einige Namen waren durch Geheimdienstberichte geliefert worden,

---

[110] Vgl. Medvedev: Atomnaja bomba, S. 108. Schweres Wasser (Deuteriumoxyd, D_2O) wird wie Graphit (Kohlenstoff) in Kernreaktoren als Moderator (Bremssubstanz) beim Neutronenbeschuß des Uranatoms verwandt.

[111] Vgl. Mick: Forschen für Stalin, S. 28-33

[112] Offenbar weigerten sich einige sowjetische Spezialisten, im Auftrag des NKVD nach deutschen Wissenschaftlern zu suchen. Kurčatov etwa gab die Begründung, daß deutsche Forscher im Atomprojekt die Leistung sowjetischer Wissenschaftler später in der Sicht von Historikern schmälern könnten und der Eindruck entstehen werde, daß die Sowjetunion die Atombombe nicht ohne deutsche Hilfe hatte bauen können. Vgl. Heinemann-Grüder, S. 63.

wieder andere meldeten sich freiwillig bei den sowjetischen Armeebehörden.[113]

Dabei wurden die meisten der Wissenschaftler und Techniker gegen ihren Willen in die Sowjetunion verbracht, wenn sie nicht, wie beispielsweise Manfred von Ardenne, Heinz Barwich oder Max Volmer[114], freiwillig fuhren oder sich, wie Max Steenbeck[115], nicht ohnehin schon in Kriegsgefangenenlagern auf sowjetischem Boden befanden und dort recht bald von den übrigen Gefangenen isoliert wurden. Hingegen hatten andere, wie etwa der Leiter des Instituts für physikalische Chemie des Kaiser-Wilhelm-Instituts in Berlin und Träger des „Goldenen Parteiabzeichens" der NSDAP, Peter Adolf Thiessen, konkrete Gründe, sich für eine Zusammenarbeit mit der sowjetischen Seite bereit zu erklären, und sorgten für den seltsam anmutenden Umstand, daß nun auch einstmals eifrige Nationalsozialisten am Bau der sowjetischen Atombombe beteiligt wurden.[116]

Die deutschen Wissenschaftler, oder „Ino-Spezialisten" (Ausländische Spezialisten / *inostrannye specialisty*), wie man sie auf sowjetischer Seite be-

---

[113] Vgl. ebd., S. 62.

[114] Barwich sah ebenso wie Vollmer keine andere Alternative, als angesichts der hoffungslosen Lage Deutschland den Rücken zu kehren: „Am 10. Juni 1945 entschloß ich mich nämlich, in die Sowjetunion zu gehen. Ich war 33 Jahre alt, verheiratet, hatte drei kleine Kinder, das vierte wurde erwartet. Auch war ich arbeitslos. So fiel mir dieser Entschluß nicht schwer." Barwich: Das rote Atom, S. 16. Von Ardenne beschreibt seine Motive freilich etwas anders, die „hohe Achtung, die in der Sowjetunion Menschen entgegengebracht wird, welche durch schöpferische Leistungen den Fortschritt von Naturwissenschaft und Technik fördern" und nicht zuletzt die Fügung in die Vereinbarungen von Jalta, deutsche Wissenschaftler für die Wiedergutmachung der beigebrachten Schäden nutzbar zu machen, ließen ihn offenbar ohne großes Zögern in die Sowjetunion reisen. Vgl. v. Ardenne, S. 152-153.

[115] Vgl. Steenbeck, S.147-179. Vgl. weiterhin die ausführliche, etwas eigenwillige Schilderung eines deutschen Kriegsgefangenen, der später als einfacher Schlosser in einer deutschen Wissenschaftlergruppe arbeitete, B. Weber: Erlebnisse in und um Stalins geheimen Atombereich. Dokumentation einer ungewöhnlichen Kriegsgefangenschaft Mai 1945 – Nov. 1953. Aachen / Mainz 1993.

[116] Vgl. Albrecht / Nikutta, S. 111, Barwich: Das rote Atom, S. 31-32. Thiessen tauchte ebenso wie Steenbeck Ende Oktober auf einer geheimen Liste deutscher Spezialisten auf, die „freiwillig" in der Sowjetunion arbeiten wollten. Für Steenbeck bedeutete dies kaum eine Entscheidung aus freien Stücken, sondern war die einzige Möglichkeit, der Haft in einem sowjetischen Kriegsgefangenenlager zu entgehen. Vgl. Postanovlenie SNK SSSR № 2755-776ss „Ob ispol'zovanii gruppy nemeckich specialistov, iz-javšich želanie rabotat' v SSSR", 27 oktjabrja 1945 g. In: Atomnyj proekt SSSR, t. 2, kn. 2, S. 60-61, Steenbeck, S. 169-179.

deutungsvoll bezeichnete, wurden nach Moskau gebracht und anschließend auf mehrere Orte in der Moskauer Umgebung und am Schwarzen Meer verteilt. In Anbetracht des Wechsels von so namhaften Forschern wie Werner Heisenberg auf die anglo-amerikanische Seite, stellten diese Deutschen, obgleich sich mit dem Nobelpreisträger Gustav Hertz und dem „Vater der Fernsehübertragung" Manfred von Ardenne Wissenschaftler internationalen Ranges unter ihnen befanden, offenbar eher die zweite Garde der deutschen Atomforschung dar.[117] Dabei kann von drei Hauptgruppen ausgegangen werden, denen unterschiedliche Aufgaben zugeteilt wurden: Die Gruppe Nikolaus Riehl bezog Quartier im Betrieb „Élektrostal'" unweit von Moskau und übernahm die technisch hochkomplizierte Herstellung von chemisch reinem Uran. Die Gruppe Gustav Hertz wurde in Agudzery am Schwarzen Meer in einem ehemaligen Sanatorium (Institut „G")[118] mit der Trennung von Uranisotopen und der Herstellung von für einen Reaktorbetrieb wichtigen Schwerem Wasser betraut. Schließlich widmete sich, ebenfalls auf dem Gelände eines ehemaligen Sanatoriums, von Ardenne mit seiner Gruppe im von Agudzery unweit entfernten Sinop (Institut „A") der Weiterentwicklung der bereits in Deutschland begonnenen Ardenneschen Studien zur Elektronenmikroskopie, vor allem aber der elektromagnetischen Isotopentrennung.[119]

---

[117] Vgl. Heinemann-Grüder, S. 65.

[118] Die Institute, später „Laboratorien" und danach „Objekte", erhielten ihre geheime Kurzbezeichnung nach dem Leiter der jeweiligen Einrichtung; die russische Schreibweise des Namens Hertz (Gerc) verlieh dem Institut in Agudzery das Kürzel „G" und dem in Sinop das des Leiters von Ardenne „A". Vgl. Atomnyj proekt SSSR, t. 2, kn. 3, S. 840-841.

[119] Vgl. Zadanija dlja nemeckich specialistov i ich laboratorij, 6 sentjabrja 1946 g. In: Atomnyj proekt SSSR, t. 2, kn. 2, S. 319-321, Mick: Forschen für Stalin, S. 152, Barwich: Das rote Atom, S. 34, von Ardenne, S. 162. Die an erster Stelle genannte Quelle in der Edition „Atomnyj proekt SSSR" liefert einen Hinweis auf eine weitere, vierte Gruppe unter Leitung von „Prof. Doppel'" (Döpel), der mit seinen Mitarbeitern A.P. Alichanov in der Herstellung von Plutonium durch Forschungen an Uran und Schwerem Wasser unterstützen sollte. Der Name dieser Gruppe taucht sonst nirgendwo in der Sekundärliteratur auf, was angesichts der bislang größtenteils verschlossen gehaltenen Materialien als wenig überraschend erscheint. Daß aber weder von Ardenne, noch Barwich als Vertreter zweier verschiedener deutscher Spezialistenteams diese vierte Gruppe erwähnen, läßt annehmen, daß sie in ihrer Bedeutung letztlich zu gering für eine Erwähnung war. Es existierten noch zwei weitere Einrichtungen, in denen deutsche Wissenschaftler arbeiteten; Institut „B" im Čeljabinsker Gebiet und das Laboratorium „V" im

Bei ihrer Ankunft am Schwarzen Meer fanden die deutschen Wissenschaftler einen Teil der Laboratoriumsausrüstung wieder, mit der sie schon in Deutschland gearbeitet hatten und die zwischenzeitlich hierher verbracht worden war.[120] Die Spezialisten bezogen zusammen mit ihren mitgereisten Familien Unterkunft in den Erholungsheimen und bekamen gar einen großen Teil ihres Privatbesitzes aus Deutschland nachgeschickt. Dabei waren sowohl Unterbringung, als auch die Arbeitsräumlichkeiten vorerst provisorisch. Erst Anfang 1946 wurde mit umfangreichen Baumaßnahmen in den Instituten am Schwarzen Meer begonnen.[121] Die unweit von Moskau beschäftigten Deutschen mußten zunächst zwischen ihren Unterkünften in der Hauptstadt und ihrem Arbeitsplatz pendeln, nach einiger Zeit wurde jedoch der Bau von Einfamilienhäusern für die deutschen Spezialisten in Erwägung gezogen und offenbar auch realisiert.[122] Die Bedingungen, unter denen die Deutschen lebten, mochten angesichts des Komforts und der Verpflegung ausgesprochen angenehm sein, konnten jedoch nicht über das strenge Sicherheitsregime hinwegtäuschen, dem sich unbedingt unterzuordnen war. So wurde es im Alltag des, wie es von Ardenne bezeichnet, „wohlbehüteten Daseins" zur Regel, daß jegliche Korrespondenz mit Außenstehenden verboten wurde, auch Briefe an Familienangehörige waren einer strengen Zensur ausgesetzt.[123] Hinzu

---

Kalugaer Gebiet. Allerdings hatten auch diese beiden Institute offenbar keine echte Bedeutung für das Atomprojekt. Vgl. Atomnyj Proekt SSSR, t. 2, kn. 2, S. 614.

[120] Vgl. von Ardenne, S. 159, Barwich: Das rote Atom, S. 20.

[121] Beide Institute sollten mit einem Kapitalvolumen von 40 Mio. Rubel ausgebaut werden, wobei das Volkskommissariat für Verteidigung (NKO) mit der Bereitstellung eines Baubataillons aus Wehrpflichtigen und das Volkskommissariat für Außenhandel (Narkomvneštorg) mit dem Kauf von Kabelwerk, Laboreinrichtungen, sanitären Einrichtungsgegenständen u.ä. im Ausland beauftragt wurden. Vgl. Postanovlenie SNK SSSR № 17-9ss „O stroitel'stve ob-ektov „A" i „G" NKVD SSSR", 7 janvarja 1946 g. In: Atomnyj proekt SSSR, t. 2, kn. 2, S. 99-101.

[122] Vgl. Pis'mo A.P. Zavenjagina L.P. Berija o stroitel'stve kottedžej dlja nemeckich specialistov, 17 ijunja 1947 g. In: Atomnyj proekt SSSR, t. 2, kn. 3, S. 674-675, Steenbeck, S. 247-250.

[123] Vgl. von Ardenne, S. 170-171. Es entsteht im übrigen der Eindruck, daß von Ardenne dieses Buchkapitel ohne den geringsten Anflug von Ironie mit „Ein wohlbehütetes Dasein" überschrieb, denn die Legitimation des Sicherheitsregimes erfolgt prompt: „Heute weiß ich: Diese für uns so schwerwiegenden Beschränkungen sind damals unerläßlich gewesen. Wie notwendig und berechtigt die Sicherheitsmaßnahmen waren, geht auch daraus hervor, daß trotz alledem im Laufe der Jahre erstaunlich viele Einzelheiten im Westen bekannt und zu einem Mosaik zusammengefügt wurden, aus dem gewisse

kam die enorme psychische Belastung durch die Ungewißheit, denn die Dauer des Aufenthalts wurde nie exakt definiert – kolportiert wurde lediglich eine Bemerkung Zavenjagins, daß die Rückkehr der deutschen Wissenschaftler und ihrer Familien vor 1951 nicht möglich sein würde[124] –, so daß die Deutschen in ständiger Unklarheit über den Zeitpunkt ihrer Heimkehr nach Deutschland lebten. Der gewaltige psychische Druck wurde verstärkt durch die Einschränkung der Bewegungsfreiheit außerhalb des Institutsstacheldrahtzaunes, innerhalb der Objektgrenzen konnten sich die Wissenschaftler zumeist frei bewegen.[125] Zwar konnten Besorgungen auf den Märkten und Ausfahrten aller Art relativ problemlos unternommen werden, für das Passieren der Wachposten war ein spezieller Ausweis (propusk) ausgefertigt worden. Das Verlassen der „Objekte" allerdings war nur in Begleitung persönlicher Bewacher möglich, so daß angesichts aller Annehmlichkeiten immer wieder die Rede von einem „Goldenen Käfig" war.[126] Von enormer Wichtigkeit für den einen Teil der Deutschen war der Erhalt ihres Status' als Kriegsgefangene, da sie dadurch Aussicht auf eine schnellere Repatriierung zu haben glaubten, die nach offiziellen Verlautbarungen bis Ende 1949 abgeschlossen sein sollte. Den übrigen Wissenschaftlern und ihren Mitarbeitern wurden nach bisher vertragsloser Beschäftigung feste Arbeitsverträge angeboten, deren Unterzeichnung jedoch wegen der daran geknüpften Bedingung, erst nach zwei bis drei Jahren Quarantänezeit nach Beendigung der Arbeit in die Heimat zurückkehren zu dürfen, vom Großteil verweigert wurde.[127] Die Kontrolle durch die oberste Führungsebene erfolgte mittels regelmäßiger Treffen der verantwortlichen deutschen Wissenschaftler mit hohen Funktionären des Innenministeriums, vor allem mit Zavenjagin. Mit Berija selbst kamen nur wenige und zumeist eher zufällige Treffen zustande.[128] Einige der Deutschen wurden an andere Orte abkommandiert, um zusammen

---

Rückschlüsse gezogen werden konnten." Ebd., vgl. weiterhin Barwich: Das rote Atom, S. 36-38.

[124] Vgl. von Ardenne, S. 169.

[125] Vgl. Barwich: Das rote Atom, S. 26.

[126] Vgl. ebd., S. 22. Auch der deutsche Raketenfachmann Kurt Magnus, der zusammen mit anderen Deutschen auf der Insel Gorodomlja arbeitete, spricht in seinen Memoiren von einem „Goldenen Käfig". Vgl. K. Magnus: Raketensklaven. Deutsche Forscher hinter rotem Stacheldraht. Stuttgart 1993, S. 57 und S. 65.

[127] Vgl. Barwich: Das rote Atom, S. 104.

[128] Vgl. ebd., S. 89.

mit sowjetischen Kollegen technische Teilprobleme zu lösen oder um, wie Barwich, in Moskau auf Sitzungen des Technischen Rates eigene neue Forschungsergebnisse zu präsentieren.[129]

Trotz des enormen Sicherheitsaufwandes und der kostspieligen Sicherstellung überdurchschnittlich hoher Lebensqualität für die immerhin knapp 300[130] deutschen Spezialisten und ihre Familien wird bei näherer Betrachtung deutlich, daß den Deutschen im Atomprojekt keine primäre Rolle zuteil wurde. Ihre Aufgabengebiete deckten die sekundären Bereiche ab, bis auf wenige Ausnahmen kam es – eine Konsequenz der strengen Geheimhaltungsvorschriften – vor allem in der Anfangszeit kaum zum Austausch zwischen deutschen und sowjetischen Forschern.[131] Mit Berechnungen und Versuchen zur Isotopentrennung durch elektromagnetische Verfahren oder der Optimierung der Gasdiffusionsmethode stellten die Deutschen lediglich Zulieferer dar. Somit waren die ausländischen Spezialisten nie direkt am Bau der sowjetischen Atombombe beteiligt, mit der Ausnahme Nikolaus Riehls, der in Élektrostal' reines Uran erstmals in einer mengenmäßigen Größenordnung liefern konnte, die ausreichend für den Bau der Bombe war. Riehl wurde unter den Deutschen mit der Verleihung des Titels „Held der Sozialistischen Arbeit" die höchste Ehrung zuteil, was verbunden war mit der erheblichen Prämiensumme von 200.000 Rubel und einem Wochenendhäuschen nahe Moskau.[132] Auch andere deutsche Wissenschaftler wurden mit Auszeichnungen geehrt, Thiessen wurde der Stalinpreis Erster Klasse verliehen, verbunden mit einer Prämie von 150.000 Rubel, von Ardenne, Hertz und Barwich erhiel-

---

[129] Vgl. Ardenne, S. 185, Barwich: Das rote Atom, S. 69-72, Mick: Forschen für Stalin, S. 152-153.

[130] Vgl. ebd., S. 95. Mick kommt hier bei seinen Nachforschungen auf die wenig präzise, weil selbst anhand neuerer Quellen kaum genau nachzuprüfende Zahl von insgesamt 500-750 Deutschen in der Sowjetunion (davon 230-340 Spezialisten und 300-400 Angehörige).

[131] Barwich berichtet von einem Besuch der sowjetischen Wissenschaftler Joffe, Arcimovič, Sobolev und Kikoin in Hertz' Institut zur Herstellung eines „Verhältnis[ses] des Vertrauens und der Achtung", hält diese Bemühungen allerdings für wenig erfolgreich, weil sich die Delegation „wohl wegen der notwendigen Geheimhaltung bestimmter Informationen befangen [fühlte] und (...) sich an die sowjetische Gepflogenheit [hielt], Distanz zu Personen unterer Rangordnungen zu wahren". Barwich: Das rote Atom, S. 49.

[132] Vgl. Mick: Forschen für Stalin, S. 154.

ten den Stalinpreis Zweiter Klasse.[133] Diese hohen Auszeichnungen kamen nicht von ungefähr, denn immer wieder hatte sich erwiesen, daß die Deutschen trotz aller Zweitrangigkeit wertvolle Anregungen für das sowjetische Atombombenprojekt lieferten, ja sogar mehrmals, quasi als eminent wichtige „Feuerwehr" in Einzelfällen, an hochgeheime Industrieorte bestellt wurden, um dort technische Probleme zu lösen.[134] Zudem stellten sie für die sowjetischen Wissenschaftler „Konkurrenzunternehmen" (A. Heinemann-Grüder) dar und wirkten als „Parallelteams" (D. Holloway), die ganz offenbar die Entwicklungszeit der ersten sowjetischen Atombombe drastisch verkürzen halfen und durchaus stimulierend für die sowjetische Nuklearforschung wirkten.

Bereits in den 1930er Jahren wurden in der Sowjetunion die Voraussetzungen für das Angehen von Großprojekten geschaffen. Diese orientierten sich zwar stark an westlichen Vorbildern, vor allen an amerikanischen, und kopierten diese mitunter unverhohlen, jedoch wurde auch versucht, sich durch die Entwicklung eines eigenen sowjetischen Stils von der Abhängigkeit vom Ausland zu befreien. Während bereits in den Kriegsjahren in einigen westlichen Staaten Forschungen für den Bau von nuklearen Waffen vorangetrieben wurden, erfolgte in der Sowjetunion ein Beginn ernsthafter Bemühungen in diese Richtung erst mit der Drohgebärde der USA durch die Atombombenabwürfe auf Japan 1945. Trotz des großen Defizits an technischen Kenntnissen und materiellen Mitteln gelang es der Sowjetunion, durch die Errichtung effektiver organisatorischer Strukturen und einer einhergehenden außerordentlichen Ressourcenkonzentration sowie – nicht zuletzt – durch eine wirksame Spionagearbeit den Rückstand zu den Amerikanern innerhalb kürzester Zeit aufzuholen. Ein Ausdruck dieser energischen Maßnahmen nach Ende des Zweiten Weltkrieges ist die systematische Rekrutierung deutscher Spezialisten, die teils freiwillig, teils zwangsweise in geheimen Forschungsinstituten an verschiedenen Teilaufgaben der sowjetischen Bombe

---

[133] Vgl. ebd. Es folgten weitere Prämierungen von deutschen Wissenschaftlern, wie etwa im März 1947, bei der Riehl beispielsweise mit einer Summe von 350.000 Rubel und einem Automobil der Marke „Pobeda" bedacht wurde. Vgl. Postanovlenie SM SSSR № 416-176ss/op o premirovanii nemeckich i sovetskich specialistov za naučno-techničeskie dostiženija v oblasti ispol'zovanija atomnoj ėnergii, 5 marta 1947 g. In: Atomnyj proekt SSSR, t. 2, kn. 3, S. 157-159, hier: S.157.

[134] Vgl. Barwich: Das rote Atom, S. 78-99, Mick: Forschen für Stalin, S. 154-155.

arbeiteten. Dabei kam den Deutschen zwar keine überragende Bedeutung zu, sie fungierten jedoch als stimulierende Konkurrenz für die sowjetischen Wissenschaftler und halfen durch gezielte Einsätze bei wichtigen Problemlösungen.

3. Besondere Lebensbedingungen und Alltag im „Weißen Archipel"

> „Jeder fähige und verständig arbeitende Mensch
> muß gehegt und gepflegt werden, gehegt und gepflegt,
> wie der Gärtner seinen früchtetragenden Baum pflegt."
>
> (I.V. Stalin)

> „Богат и славен Борода,
> Его «объекты» нечислимы.
> Ученых бродят там стада,
> Хотя и вольны, но и хранимы."[135]

Eine Untersuchung des Geneseprozesses geheimer sowjetischer „Objekte" muß vorgenommen werden, um die Faktoren erkennen zu können, die, wie die verschiedenen am Aufbau beteiligten Gruppen von Arbeitskräften, sowjetische Atomstädte von Anfang an prägten und damit ihre Besonderheit ausmachen. Eine Rekonstruktion weiterer Faktoren – das extreme Geheimhaltungs- und Sicherheitsregime, psychologischer Druck und ungewöhnlich umfangreiche Privilegien – kann dabei die Herausarbeitung der wichtigsten Elemente des Alltagslebens in den Atomstädten leisten.

---

[135] Spottgedicht auf Igor' V. Kurčatov. Die Zeilen spielen auf die äußere Erscheinung I.V. Kurčatovs an und beziehen sich auf die Einrichtungen des sowjetischen Atomkomplexes: „Reich und ruhmvoll ist der Bart, / Seine „Objekte" groß an Zahl. / Wissenschaftler spazieren dort nach Herdenart, / Frei wohl, doch wohlbewahrt." Zit. nach Al'tšuler.

3.1. Geheime „Objekte"

Für die Anlagen, die im Zusammenhang mit dem sowjetischen Atombombenprojekt zur Geheimsache erklärt wurden, existierten viele verschiedene Bezeichnungen: „Objekt" (*ob-ekt*), „Zone" (*zona*), „Regimezone" (*režimnaja zona*), „verbotene Zone" (*zapretnaja zona*), „Basis" (*baza*), „Betrieb" (*zavod*), „Kontor" (*kontora*), „Briefkasten" (*počtovyj jaščik*) und noch weitere Tarnbezeichnungen dieser Art. Als später ganze Städte zu geschlossenen und geheimen „Zonen" erklärt wurden, bzw. geschlossene und geheime „Objekte" zu richtigen Städten anwuchsen, bildeten sich Bezeichnungen heraus wie „Atomstadt" (*atomgrad*), „Geisterstadt" (*gorod-prizrak*) und „unsichtbare Stadt" (*gorod-nevidimka*).

> „Ein Objekt umfaßt einerseits eine normale Wohnsiedlung mit Verkaufsständen für die wichtigsten Lebensmittel und Bedarfsgüter, Wäscherei, Garagen, Reparaturwerkstätten, Kino, Klub für gesellschaftliche Veranstaltungen mit Bibliothek, Restaurant und Gästehaus, Schneiderwerkstatt, Schuhmacherei, Kindergarten, Poliklinik, Sportplatz (...). Andererseits die vollständige Produktionszone mit den Laboratorien, Werkstätten, Materiallagern, elektrischer Energiezentrale und der Verwaltung; nicht zu vergessen die Kaserne für die militärische Bewachung. *Wesentlich ist, daß das Objekt so ausgerüstet ist, daß es seine Funktion auch dann erfüllt, wenn es von der Außenwelt abgeschlossen werden sollte.* (...) Ein Objekt bietet somit seinen Bewohnern, besonders wenn es sich um ein erstrangiges handelt, im allgemeinen mehr Vorteile als den Bürgern der freien Umgebung. Die Versorgung mit Lebensmitteln und Gütern vollzieht sich reibungsloser und ist qualitativ und quantitativ besser; Wohnraum und Möbel stehen reichlicher zur Verfügung; (...) selbst die Stromversorgung ist oft besser als in den üblichen Dorf- und Stadtnetzen, denn sie hat weniger Ausfälle und geringere Spannungsschwankungen. Ein Zaun um das Objekt ist also nützlich, weil er die Privilegien seiner Bewohner gegen den Andrang und die Neugier von außen schützt. Wenn er nur nicht gleichzeitig die Bewegungs- und Kommunikationsfreiheit der Insassen beschränkte und wenn nicht die persönliche Willkür des „Natschalnik Objekta" (Objektleiter) den ersten Ton angäbe!"[136]

Diese Definition eines abgeschlossenen „Objekts" lieferte der deutsche Wissenschaftler Heinz Barwich wohl vorrangig nach seinen Erfahrungen und Beobachtungen während seiner Arbeit im Hertzschen Institut am Schwarzen

---

[136] Barwich: Das rote Atom, S. 19-20 (Hervorhebung S. Schlegel).

Meer. Mit Sicherheit verlief die Unterbringung und Abschirmung der deutschen Wissenschaftler in der Sowjetunion um ein Vielfaches sorgfältiger und aufwendiger, als das bei den ersten rein sowjetischen Unternehmen, wie etwa dem „Laboratorium Nr. 2" Kurčatovs, der Fall war. Ein Grund dafür findet sich natürlich in dem Umstand, daß zur Zeit der Arbeitsaufnahme im Kurčatovschen Laboratorium das sowjetische Bombenprojekt noch nicht mit ernsthaften Bemühungen vorangetrieben worden war, weil es noch als ein Vorhaben von sekundärer Wichtigkeit gegolten hatte. Den anderen Grund könnte die Herkunft der deutschen Wissenschaftler darstellen, die als ausländische „Spezialisten" nach Ansicht der obersten sowjetischen Führungsebene eine besondere Behandlung verdienten. Dennoch stimmen die Beobachtungen Barwichs mit der realen Praxis ganz offenbar in den meisten Punkten überein. Er selbst wurde mit einer Reihe anderer Deutscher in ein hochgeheimes, rein sowjetisches „Objekt" im Ural abkommandiert und fand ähnliche Bedingungen wie in den „deutschen" Schwarzmeerinstituten vor. Barwich nannte die gesperrten Anlagen im Ural das „sibirische Oak Ridge", in Anlehnung an den Ort in den USA, an dem die Amerikaner ihren ersten Atomreaktor gebaut hatten. Am so fernen Ort der Abkommandierung mangelte es der deutschen Delegation nicht an Annehmlichkeiten, allen voran die vorzügliche Lebensmittelversorgung, was ihm unter den Deutschen die scherzhafte Bezeichnung „Kefirstadt" einbrachte.[137] Bei dieser Stadt dürfte es sich entweder um Čeljabinsk-40 (auch *zavod* „A", *kombinat* № 817, *ob-ekt* № 859) oder um Sverdlovsk-44 (auch *ob-ekt* № 865, *kombinat* № 813, *mašinostroitel'nyj zavod*), gehandelt haben, zwei Orte, die zu den ersten „Objekten" des sowjetischen Atomkomplexes wurden. Sie bestanden nicht wie bisher nur aus kleineren Experimentallaboratorien, sondern erhielten neben den hochkomplexen technischen Anlagen zur industriellen Produktion auch eine vollständige städtische Infrastruktur für eine arbeitende und wohnende Bevölkerung.

Es stellt sich die Frage, *warum* der Beschluß zum Bau derart komplexer und weit abgelegener Anlagen gefaßt wurde. Mit Sicherheit ist er Ausdruck der hastigen Bemühungen, das sowjetische Atombombenprojekt anzutreiben, und das so, daß der Rückstand auf die Amerikaner innerhalb kürzester Zeit

---

[137] Vgl. ebd., S. 79 und S. 88.

schrumpfen würde. Offenbar waren die wissenschaftlichen Spitzen des Bombenprojekts zu extremer Eile angehalten worden, ganz gleich, ob sie einen Übergang von den bisher vorrangig theoretisch geführten Überlegungen in die Praxis für realisierbar hielten oder nicht. Kurčatov besaß erwähntermaßen als einziger Wissenschaftler Zugang zu den Geheimdienstmaterialien und kannte daher auch die Vorgehensweise der Amerikaner in ihrem Atombombenprojekt – er konnte konkrete Maßnahmen treffen: Da sich herausgestellt hatte, daß sich Plutonium, ein Abfallprodukt bei der Uranverbrennung, am besten für den Bau einer nuklearen Bombe eignete (Uran war noch immer nicht in ausreichendem Maße vorhanden), mußte ein Reaktor gebaut werden, der um ein Vielfaches größer und leistungsstärker war als der erste Testreaktor in Kurčatovs „Laboratorium Nr. 2". Eine derart große Reaktoranlage konnte, mit allem dazugehörigen Sicherheits- und Geheimhaltungsaufwand, schwerlich in der Nähe von Moskau oder anderer großer Industriezentren errichtet werden. Nicht unwichtig erscheint in diesem Zusammenhang der Gedanke an die spätestens seit dem Zweiten Weltkrieg verbreitete Praxis, kriegswichtige Betriebe und Fabriken weit in das russische Hinterland zu verlegen, vorzugsweise in das Uralgebiet, weil die Entfernung von der Frontlinie groß genug war, um unbehelligt produzieren zu können, und sich andererseits der Transportaufwand noch in erträglichem Rahmen hielt. Hier hatte sich bereits gegen Kriegsende ein „militärisch-industrieller Komplex" gewaltigen Maßstabs herausgebildet. Zudem besaß die Uralregion die größten und effektivsten Bauorganisationen des Landes, die über mehrere Bataillone Bausoldaten, vor allem aber über ein wahres Heer Gefangener des berüchtigten GULag-Systems verfügten. Weiterhin fanden sich hier auch abgelegene Waldgebiete zur Sicherstellung einer größtmöglichen Tarnung und ausreichende Süßwasserressourcen zur Bereitstellung von Kühlwasser. Nicht zuletzt weist einiges darauf hin, daß persönliche Interessen innerhalb der Führungsriege des PGU und des Spezialkomitees auf den Stellenwert der Uralregion in der Wahl der in Frage kommenden Gebiete – hier wurden schließlich fünf der zehn Atomstädte erbaut – entscheidenden Einfluß ausübten.[138]

---

[138] Vgl. Zakrytye atomnye goroda Rossii, S. 35-36. Zavenjagin beispielsweise war 1937 für das Gebiet Kyštym (dort sollte später Čeljabinsk-40 errichtet werden) in den Ober-

So ging man zunächst an die Erkundung von für den geplanten Bau der brisanten „Objekte" geeigneten Gebieten. Dabei spielten im allgemeinen sieben Kriterien eine wichtige Rolle für die Auswahl: 1. größtmögliche Abgeschiedenheit des Areals von menschlichen Siedlungsorten, 2. Bodenbeschaffenheit des betreffenden Gebietes (*rel'ef mestnosti*), 3. eine ausreichende Wasserversorgung, 4. genügende Versorgung mit elektrischer Energie, 5. eine bereits vorhandene und ausbaubare Transportinfrastruktur, 6. Nutzung von örtlichen Bauorganisationen und schließlich 7. die allgemeinen Lebensbedingungen (*bytovye uslovija*).[139] Bei der Wahl eines geeigneten Ortes für ein zukünftiges Testgelände in der Kasachischen SSR kamen noch weitere Kriterien hinzu, unter denen die Entfernung von den Staatsgrenzen noch das bedeutsamste darstellte.[140]

Im Falle des späteren Betriebes Nr. 817 präsentierte die Gutachterkommission Berija vier Orte, die für den Bau des „Objekts" in Frage kamen. Obgleich sie bei dem dritten Ort der kleinen Liste, einem ehemaligen Pionierlager am Ufer des Sees Kyzyl-Taš unweit der Stadt Kyštym, Bedenken bezüglich seiner Nähe zu Siedlungspunkten in der Umgebung und, angesichts des angrenzenden Sees, nicht zuletzt auf die Gefahr einer leichteren Ortung aus der Luft äußerte, fiel die Wahl schließlich auf diesen Platz.[141] Da hier jedoch auch der Verweis auf die für wohnliche Bequemlichkeit günstige Lage des Gebietes an einem See erfolgte, ist anzunehmen, daß dies Einfluß auf die Auswahl des Ortes hatte. Dies wiederum bestärkt die Vermutung, daß bei den Grundkriterien der Entscheidung für einen potentiellen Bauplatz nicht nur die für eine Geheimhaltung wichtige Abgeschiedenheit und ökonomische

---

sten Sowjet gelangt und kannte die Region recht genau, vgl. Holloway: Stalin and the Bomb, S. 184.

[139] Vgl. Pis'mo B.L. Vannikova, A.P. Zavenjagina, N.A. Borisova L.P. Berija o vybore ploščadok dlja stroitel'stva zavodov № 817 i 813, 25 oktjabrja 1945 g. In: Atomnyj proekt SSSR, t. 2, kn. 2, S. 345-348, hier: S. 346. Vage Formulierungen wie unter Punkt 7 finden sich nicht eben selten in derartigen Berichten, hier ist sicherlich die Rede von der äußeren Umgebung, die durch ihre Eigenheiten – wie etwa Erholungsmöglichkeiten durch nahe Waldgebiete, Seen u.ä. – Einfluß hat auf die Lebensqualität einer künftig großen Zahl unter Hochdruck arbeitender Menschen.

[140] Vgl. Zakrytye atomnye goroda Rossii, S. 33-34, Protokol № 36 zasedanija Special'nogo komiteta pri Sovete Ministrov SSSR, 31 maja 1947 g. In: Atomnyj proekt SSSR, t. 2, kn. 1, S. 176-187, hier: S. 179-187.

[141] Vgl. ebd.

Überlegungen, wie eine günstige Ausgangsposition für die Errichtung einer Transportinfrastruktur, ausschlaggebend waren, sondern eben auch die Frage der künftigen Lebensqualität eine nicht zu unterschätzende Rolle spielte. Der Stellvertreter Berijas im Atomprojekt Zavenjagin war im Dezember 1937 in den Obersten Sowjet des Gebietes Kyštym gewählt worden, was möglicherweise ebenfalls einen großen Einfluß auf die endgültige Wahl des Standortes hatte.[142] Das Areal des Pionierlagers befand sich 15 Kilometer westlich einer größeren Stadt und elf Kilometer östlich einer kleineren Siedlung und konnte damit relativ geringe Entfernungen im Vergleich zu den anderen Vorschlägen aufweisen.[143] Allerdings deuteten sowohl die geographischen Eigenheiten, als auch die ausreichende Wasserversorgung durch den See sowie die verhältnismäßige Nähe zu Punkten der Energieversorgung (15 km) und einer Eisenbahnlinie (11 km) auf eine günstige Lage hin.[144]

Interessanterweise offenbaren sich in der Herangehensweise für die Auswahl in Frage kommender Gebiete deutliche Parallelen zum amerikanischen Bombenprojekt. Die Hauptbedingung für die Entscheidung zum Bau von Los Alamos, die amerikanische Atomwaffenschmiede, war die durch eine geringe Bevölkerungsdichte gekennzeichnete Abgeschiedenheit des Territoriums.[145] Auch hier war eine persönliche Beziehung von Führungspersonen des Bombenprojekts zum Gebiet wichtig für die Auswahl; der wissenschaftliche Leiter des Unternehmens Oppenheimer kannte das Tal von Los Alamos schon aus eigenen Erfahrungen.[146] Und schließlich: Auch die Frage nach dem künftigen Wohnkomfort der Wissenschaftler, die hier in Kürze ihre hochgeheime Arbeit aufnehmen würden, spielte eine wichtige Rolle in der Entscheidung.[147]

Die Errichtung und Inbetriebnahme der „Objekte" Nr. 817 und 813 für den ersten sowjetischen Uran-Graphit-Reaktor (Betrieb Nr. 817) sowie die Plutoniumherstellung und die Gewinnung von Uran-235 mit Hilfe der Gasdiffusionsmethode (Betrieb Nr. 813)[148] erfolgte durch Beschluß des Rats der Volks-

---

[142] Vgl. Holloway: Stalin and the Bomb, S. 184.

[143] Vgl. Pis'mo B.L. Vannikova, A.P. Zavenjagina, N.A. Borisova L.P. Berija o vybore ploščadok dlja stroitel'stva zavodov № 817 i 813, 25 oktjabrja 1945 g., S. 346-347.

[144] Vgl. ebd., S. 347.

[145] Vgl. Groueff: Projekt ohne Gnade, S. 68.

[146] Vgl. ebd., S. 68-69.

[147] Vgl. ebd., S. 69.

[148] Vgl. Atomnyj proekt SSSR, t.2, kn.2., S. 613 und S. 615.

kommissare vom 21. Dezember 1945. In ihm wurden folgende Punkte auf-
geführt: Zunächst erhielt die Erste Hauptverwaltung die Verantwortung für
den Bau beider Betriebe. Dessen Vorsitzender, der Munitionsminister (Volkskommissar) Vannikov, sowie die Wissenschaftler Kurčatov und Kikoin wurden
mit der Projektierung und ersten Skizzierung der anstehenden Bau- und Mon-
tagearbeiten betraut und wurden damit praktisch zu den Hauptverantwortlichen in der ersten Phase der Bauvorhaben gemacht.[149] Weiterhin wurde
der Bau der Anlagen an die örtlichen Bauorganisationen des NKVD – „Tagil-
stroj" (Betrieb Nr. 813) und „Čeljabmetallurgstroj" (Betrieb Nr. 817) – überge-
ben. Zusätzlich zu konkreten Anweisungen bezüglich des finanziellen Um-
fanges der Bauvorhaben – insgesamt sollten dafür 15 Mio. Rubel bereit-
gestellt werden – ergingen die äußerst knappen Fristen von knapp zwei bzw.
drei Monaten für die Fertigstellung von provisorischen Anfahrtsstraßen, vor-
läufigen Unterkünften für die Unterbringung der beeindruckenden Zahl von
etwa 10.000 Menschen sowie der Schaffung von Lagermöglichkeiten und Be-
und Entladezonen.[150] Weiterhin erfolgte die Anordnung der Abkommandierung von insgesamt acht Bataillonen Bausoldaten an beide Baustellen, darunter 8.000 Wehrdienstleistende und 300 Offiziere für die Bauarbeiten und
weitere 150 zivile Personen, davon 50 Ingenieure und Techniker sowie 100
Mann Verwaltungspersonal. Hier wird deutlich, daß Armeeangehörige die erste Welle der Beschäftigten – abgesehen von den hochrangigen Wissenschaftlern, die später ebenfalls ihre Arbeit aufnahmen – in den künftig geheimen „Objekten" darstellten und deren Charakter maßgeblich prägten. Dies
dürfte seine Begründung in dem Umstand finden, daß Armeepersonal um einiges einfacher und billiger, vor allem aber schneller zu mobilisieren war, als
wenn Bauarbeiter aus der Zivilbevölkerung rekrutiert worden wären. Zudem
konnte so bessere Kontrolle, etwa durch Ausübung gezielteren Drucks auf
die Soldaten, über die Wahrung der Geheimhaltung der Bauvorhaben behalten werden, als das bei zivilem Personal aus der Umgebung so umfassend
möglich gewesen wäre. Nachdem jedoch das Grundgerüst einer auf einige
zehntausend Bewohner ausgerichteten Stadt stand, konnte auf zivile Bewoh-

---

[149] Vgl. Postanovlenie SNK SSSR № 3150-952ss „Ob organizacii stroitel'nych upravlenij
NKVD SSSR № 859 i 865", 21 dekabrja 1945 g. In: Atomnyj proekt SSSR, t. 2, kn. 2,
S. 83-85, hier: S. 83-84.
[150] Vgl. ebd., S. 84.

ner nicht mehr verzichtet werden, besonders nicht im Hinblick auf die Verrichtung untergeordneter Arbeiten des Dienstleistungssektors. Dem befürchteten Durchsickern von geheimen Details begegnete man später in der Regel mit dem Entziehen der Pässe, um so das Personal an das Sicherheitsregime der entstehenden Stadt zu binden.[151]

Kurčatov, der mit der Projektierung betraut war, lieferte konkrete Anweisungen für die Durchführung der grundlegenden Bauarbeiten, bei denen äußerst knappe Fristen von einem bis höchstens sechs Monaten vorgesehen waren, denn die Anlagen des Kombinates Nr. 817 sollten bereits Ende 1947 in Betrieb genommen werden.[152] Für das Bauunternehmen wurden wie angedeutet Baubataillone der Roten Armee mobilisiert, allerdings zeigte sich recht bald, daß diese Arbeitskräfte den enormen Bauaufwand nicht allein bewältigen konnten. Aus diesem Grunde wurden die Baustellen für den künftigen Betrieb Nr. 817 mit 10.000 sogenannten *specpereselency*, „umgesiedelten" (d.h. deportierten) und für derartige Bauprojekte offenbar als besonders geeignet betrachteten Wolga- und Krimdeutschen aufgestockt, von denen im Falle der Bauorganisation „Čeljabmetallurgstroj" immerhin 22.000 Mann bereitstanden. Als Kompensation wurde „Čeljabmetallurgstroj" vom Innenministerium eine entsprechende Zahl „gewöhnlicher" Häftlinge zur Verfügung gestellt.[153] Ebenso wurde der stellvertretende Minister für Verteidigung, N.A. Bulganin, beauftragt, dem Innenministerium 7.000 Kriegsgefangene zu entsenden, die dann für den Bau der besonderen Anlagen verwandt werden sollten.[154] Neben den Rußlanddeutschen und den Kriegsgefangenen wurden ebenfalls in Haft gesetzte, gerade erst aus deutscher Gefangenschaft befreite

---

[151] Vgl. Barwich: Das rote Atom, S. 89.

[152] Vgl. Pis'mo L.P. Berija I.V. Stalinu s predstavleniem na rassmotrenie proekta postanovlenija SM SSSR „O meroprijatijach po obespečeniju stroitel'no-montažnych rabot na zavode № 817", 19 ijunja 1947 g. In: Atomnyj proekt SSSR, t. 2, kn. 3, S. 204-205, Postanovlenie SM SSSR № 2145-567ss „O meroprijatijach po obespečeniju stroitel'no-montažnych rabot zavoda po proektu № 1859", 19 ijunja 1947 g. In: Atomnyj proekt SSSR, t. 2, kn. 3, S. 214-217.

[153] Vgl. Pis'mo S.N. Kruglova i B.L. Vannikova L.P. Berija ob ispol'zovanii specpereselencev na stroitel'stve zavoda № 817, 1 ijulja 1946 g. In: Atomnyj proekt SSSR, t. 2, kn. 2, S. 543.

[154] Rasporjaženie SM SSSR № 7733-rs o napravlenii v rasporjaženie Ministerstva vnutrennich del SSSR voennoplennych dlja stroitel'stva zavodov, 19 ijunja 1946 g. In: Atomnyj proekt SSSR, t. 2, kn. 2, S. 238-239, hier: S. 238.

Heimkehrer (*repatrianty*) zu den schweren Arbeiten herangezogen.[155] Als die Arbeiten am Betrieb Nr. 817 abermals aufgrund von Personalmangel ins Stocken gerieten – statt angestrebter 45.000 waren „nur" 32.000 Arbeiter verfügbar –, wandte sich Kurčatov im April 1947 an Berija mit der Bitte um erneute Entsendung von Arbeitskräften, da sonst die fristgerechte Aufnahme des Betriebs bis Ende 1947 fraglich werden könne.[156] Bemerkenswert hierbei ist der Umstand, daß mit dem Mammutprojekt der Errichtung des Betriebes Nr. 817 mit Ja.D. Rapoport einer jener hohen MVD-Generäle betraut wurde, die in den frühen 1930ern für das Großprojekt des Weißmeerkanals verantwortlich gewesen waren.[157]

Häftlinge stellen neben dem Militär die zweite Gruppe von Beschäftigten dar, die den Charakter der geheimen „Objekte" in den ersten Jahren maßgeblich prägten. Auch sie waren verhältnismäßig leicht zu mobilisieren und standen durch das System des „GULag" in nahezu unbegrenzter Zahl zur Verfügung. Da konkrete Anweisungen ergangen waren, daß nur Gefangene mit einer verbleibenden Haftdauer von mindestens drei Jahren (wobei das ein theoretischer Wert war, der problemlos verlängert werden konnte) an die Baustellen geschickt werden sollten, konnte auch der Geheimhaltung Genüge getan werden, weil die verbleibende Haftzeit als eine Art Quarantänezeit das Durchsickern von Informationen in die Außenwelt in erträglichen Grenzen hielt.[158] Prinzipielle Unterschiede in den Arbeitsbereichen bestanden zwischen militärischen Arbeitskräften und GULag-Gefangenen offenbar nicht; außer, daß Baubataillone für besonders wichtige Bauarbeiten bevorzugt herangezogen wurden.[159] Ein großer Teil der Häftlinge sollte jedoch nach Beendigung der Bauarbeiten in das weitverzweigte GULag-Lagerverbundsystem

---

[155] Vgl. Protokol № 55 zasedanija Special'nogo komiteta pri Sovete Ministrov SSSR, 27 fevralja 1948 g. In: Atomnyj proekt SSSR, t. 2, kn. 1, S. 250-255, hier: S. 254.

[156] Vgl. Pis'mo I.V. Kurčatova L.P. Berija s chodatajstvom o popolnenii rabočej siloj stroitel'stva zavoda № 817, 4 aprelja 1947 g. In: Atomnyj proekt SSSR, t. 2, kn. 3, S. 651.

[157] Vgl. Holloway: Stalin and the Bomb, S. 185.

[158] Vgl. Istorija Severska, S. 35-36. Einen guten Überblick über den Einsatz von Gefangenen im „Nuklear-Archipel" bietet R. Stettner: „Archipel GULag": Stalins Zwangslager – Terrorinstrument und Wirtschaftsgigant. Entstehung, Organisation und Funktion des sowjetischen Lagersystems 1928-1956. Paderborn u.a. 1996, S. 314-318, eingehender und gründlicher jedoch sind die Ausführungen von Medvedev, vgl. Ž.A. Medvedev: Atomnyj GULAG. In: Voprosy istorii (2001) 1, S. 44-59.

[159] Vgl. Zakrytye atomnye goroda Rossii, S. 39.

und den „Wirtschaftskonzern" des NKVD „Dal'stroj" (*Glavnoe upravlenie stroi-tel'stva dal'nogo severa*) als „Freiwillige" eingegliedert und über ein System von „Arbeitsverträgen" für mindestens zwei bis drei Jahre von der Außenwelt ferngehalten werden. In den Lagern selbst waren diese besonderen Häftlinge den gleichen Lebensbedingungen wie die „gewöhnlichen" Insassen auszu-setzen, von diesen jedoch durch eine gesonderte, „kompakte" Unterbringung fernzuhalten, um dem Austausch von Informationen vorzubeugen. Zusätzlich wurden die Spezialgefangenen durch eine schriftliche Schweigeverpflichtung an die strenge Geheimhaltung gebunden.[160] Die meisten der am Aufbau der Atomindustrie beteiligten Häftlinge wurden in weit entfernte Gebiete des Fer-nen Ostens, an die Kolyma oder in das Gebiet von Magadan, umgesiedelt.[161] Die Gefangenen durften nach 1955 wieder in zentralere Gebiete der Sowjet-union zurückkehren, ein Leben in Großstädten oder grenznahen Regionen blieb ihnen jedoch versagt.[162] Das PGU bekam für die Realisierung seiner Aufgaben gegen Ende 1945 zwei mächtige Bauorganisationen durch den NKVD zur Verfügung gestellt, die „Hauptverwaltung der Lager für Industrie-bau des NKVD" GULPS (*Glavnoe upravlenie lagerej promyšlennogo stroi-tel'stva NKVD*) und die „Hauptverwaltung der Lager der Bergbau-Metallurgischen Unternehmen des NKVD" GULGMP (*Glavnoe upravlenie la-gerej gorno-metallurgičeskich predprijatij NKVD*). Nach der Vereinigung bei-der Organisationen zum System von „Glavpromstroj" verfügte das PGU An-fang 1946 über die Arbeitskraft von etwa 293.000 Häftlingen in mehreren La-gern. Die für sowjetische Maßstäbe anfangs noch gewaltige Zahl von knapp 200.000 Beschäftigten im amerikanischen Bombenprojekt wurde bereits 1950 weit übertroffen.[163]

---

[160] Vgl. Protokol № 77 zasedanija Special'nogo komiteta pri Sovete Ministrov SSSR, 23 maja 1949 g. In: Atomnyj proekt SSSR, t. 2, kn. 1, S. 366-373, hier: S. 368-369. Zur näheren Struktur des „Dal'stroj" vgl. Stettner, S. 217-223.

[161] Vgl. Sacharow: Mein Leben, S. 143 und S. 166, Zakrytye atomnye goroda Rossii, S. 38-39. Popov bestreitet diese Praxis jedoch und behauptet, daß diese Gefangenen nach Ablauf ihrer Haftzeit lediglich eine Schweigeerklärung unterzeichnen mußten und danach wieder in ihre Heimatorte zurückkehren durften, vgl. Popov, S. 49.

[162] Vgl. Zakrytye atomnye goroda Rossii, S. 39.

[163] Vgl. Medvedev: Atomnaja bomba, S. 111-112. Medvedev gibt hier die gewaltige Zahl von insgesamt 700.000 Menschen an, die 1950 unter Aufsicht des PGU am sowjeti-schen Atomprogramm beteiligt waren, verschweigt jedoch die Quelle für diese Zahl.

Der Umstand, daß Militärpersonal für den Bau der „Objekte" mobilisiert wurde, erscheint angesichts des geheimen Charakters des Bombenprojekts kaum erstaunlich, weil derartig eilige Großvorhaben nur unter straffer militärischer Führung erfolgreich verwirklicht werden konnten. Eine der Eigenarten des sowjetischen Bombenprojekts zeigt sich jedoch im massiven Einsatz von Strafgefangenen, während die Amerikaner zivile Bauarbeiter, zumeist Abenteurer und Glückssucher wie aus der Zeit des „Wilden Westens", aus dem ganzen Land rekrutierten.[164] Obgleich Gefangene im Laufe des amerikanischen Bombenprogramms durchaus zum Einsatz kamen, mußten die USA auf freiwillige Arbeitskräfte mit einem ständigen Kündigungsrecht zurückgreifen, weil sie schlichtweg nicht über Strafarbeiter in den Mengenordnungen des GULag-Systems verfügten.[165]

Zwei weitere Städte des „Weißen Archipels" entstanden auf der Basis bereits vorhandener Gefangenenlager, der berüchtigten ITL (*ispravitel'notrudovye lageri* / Besserungs- und Arbeitslager) des GULag-Archipels. Diese beiden Orte waren ebenfalls aufgrund ihrer Abgeschiedenheit ausgewählt worden. Das Kombinat Nr. 815 (auch: Krasnojarsk-26, *vostočnaja kontora*) dürfte sich von allen Atomstädten auch heute noch nach allen Himmelsrichtungen am weitesten von den (früher sowjetischen, heute rußländischen) Landesgrenzen entfernt befinden. Es wurde mit seinen industriellen Anlagen gar weit unter die Erde verlegt, um eventuellen amerikanischen Luftangriffen kein Ziel zu bieten.[166] Offenbar erfolgte eine Ausarbeitung von Maßnahmen zum Schutz vor solchen Angriffen (*protivovozdušnaja oborona*) für alle Objekte des PGU.[167] Das zweite „Objekt", Kombinat Nr. 816 (auch: Tomsk-7, *zaural'skaja kontora, zaural'skij mašinostroitel'nyj zavod, počtovyj jaščik № 5*), entstand auf der Basis des ITL „A", das vor dem Krieg ein Erziehungslager für aus schwierigen sozialen Verhältnissen stammende Kinder gewesen

---

Stettner hingegen hält sich dabei selbst mit vorsichtigen Schätzungen zurück, vgl. Stettner, S. 317.

[164] Vgl. Groueff: Projekt ohne Gnade, S. 145-146 und S. 279.

[165] Vgl. ebd., S. 279 und S. 282-283

[166] Vgl. Kučin, S. 22. Zur Problematik geplanter amerikanischer Luftschläge gegen die Sowjetunion vgl. F. Mildenberger: Die Polarmagistrale. Zur Geschichte strategischer Eisenbahnprojekte in Rußlands Norden und Sibirien (1943 bis 1954). In: Jahrbücher für Geschichte Osteuropas 48 (2000), S. 407-419, hier: S. 409-410.

[167] Vgl. Protokol № 77 zasedanija Special'nogo komiteta pri Sovete Ministrov SSSR, 23 maja 1949 g. In: Atomnyj proekt SSSR, t. 2, kn. 1, S. 366-373, hier: S. 368.

war.[168] Der Platz war zudem durch die günstige Lage für den ursprünglich geplanten Bau einer Schiffswerft der sowjetischen Flußflotte aufgefallen und
deshalb später in die Erwägungen des PGU für den Aufbau der Atomindustrie
einbezogen worden.[169] Diese zwei jüngeren Atomstädte, wie auch eine weitere, Krasnojarsk-45 (heute Zelenogorsk), entstanden als die „zweite Reihe"
der Atomobjekte, offenbar infolge einer Anweisung Stalins von 1949 zur Initi-
ierung eines „sozialistischen Wettbewerbs" (socialističeskoe sorevnovanie)
für immer höhere Leistungen und noch optimalere Ergebnisse. Die neuen Betriebe übernahmen und modifizierten die in den ersten „Objekten" entwickelten Technologien und formten sibirische Hochleistungstechnologie-
Standorte mit einem noch strengeren Sicherheits- und Geheimhaltungsregime.[170]

Andere Standorte, wie der bereits erwähnte Betrieb Nr. 813 sowie der Betrieb Nr. 550 (auch: Arzamas-16, Kremlev, konstruktorskoe bjuro № 11,
privolžskaja kontora) wurden auf der Basis ehemaliger Rüstungsfabriken errichtet, im Falle des Kombinates Nr. 813 existierte mit dem Gelände eines
Betriebes des Volkskommissariats für Flugzeugindustrie (NKAP) bereits ein
für die geheimen Bauvorhaben so wichtiger abgeschirmter Bereich (zakon-
servirovannaja ploščadka).[171] Das Kombinat Nr. 550 war zu Kriegszeiten eine
Fabrik, in der unter anderem Bauteile für die „Katjuša"–Raketenwerfer hergestellt wurden. Interessanterweise war das Werk erbaut auf dem Gelände des
Klosters des Hl. Serafim von Sarov (1759-1833), einem in Askese lebenden
Mönch, der den Großteil seines Lebens hier verbracht hatte. Jedes Jahr lock-
te dieser heilige Ort wahre Pilgerscharen russischer und ukrainischer Gläubi-
ger in die Nähe des Klosters und ließ ihn zu einem „russischen Jerusalem"
werden, selbst seine Schließung durch die sowjetischen Behörden 1927 tat

---

[168] Vgl. Istorija Severska, S. 20-27.

[169] Vgl. ebd., S. 34.

[170] Vgl. Zakrytye atomnye goroda Rossii, S. 37.

[171] Vgl. Pis'mo L.P. Berija I.V. Stalinu s predstavleniem na rassmotrenie proekta
postanovlenija Sovnarkoma SSSR „Ob organizacii stroitel'nych upravlenij NKVD SSSR
№ 859 i 865", 21 dekabrja 1945 g. In: Atomnyj proekt SSSR, t. 2, kn. 2, S. 82-83, hier:
S. 82, Pis'mo B.L. Vannikova i N.A. Borisova L.P. Berija o podbore
zakonservirovannych ob-ektov dlja stroitel'stva zavodov № 813 i № 817, 10 nojabrja
1945 g. In: Atomnyj proekt SSSR, t. 2, kn. 2, S. 348-349.

den Wallfahrten kaum Abbruch.[172] Eigentümlicherweise schien jedoch diese Tradition, der auch die Familie des letzten russischen Zaren gehuldigt hatte, kein ernstzunehmendes Sicherheitsrisiko für die Planungen des PGU darzustellen, ganz offenbar wurde ein gewisses Durchsickern von Informationen in den folgenden Jahren einfach in Kauf genommen.[173]

Die Entscheidung für den Bau des geheimen Konstruktionsbüros (*konstruktorskoe bjuro*) an diesem Ort fiel per Verordnung am 21. Juni 1946.[174] Bereits im April desselben Jahres waren P.M. Zernov (der stellvertretende Volkkommissar für Transportmaschinenbau) zum Objektleiter und der Wissenschaftler Ju.B. Chariton zum leitenden Konstrukteur ernannt worden. Ebenso wurde angeordnet, die Gebäude der ehemaligen Munitionsfabrik für das neue Werk nutzbar zu machen und – wenn nötig – an die neuen Aufgaben angepaßt umzubauen.[175] Dabei wurde wiederholt zu höchster Eile und effizienter Arbeit gedrängt, bei der Entscheidungen schnell und situationsgerecht – im bei derartigen Anweisungen durchaus üblichen Jargon – „operativ" (*operativno*) zu treffen seien.[176]

Ein nächster Schritt war gewöhnlich die Errichtung der „Regimezone" (*režimnaja zona*), eines besonderen Gürtels um das „Objekt", der, mit einer besonderen Bewachung versehen, zur verbotenen Zone wurde, um die strenge Geheimhaltung zu wahren. Im Falle des Betriebes Nr. 817 hatten in einem Radius von 35 km alle Landbesitzungen enteignet (*otčuždenie zemel'*) und die Bewohnerschaft der Siedlungen und Dörfer umgesiedelt zu werden, wie es bereits in dem Gutachten vom Oktober 1945 nahegelegt worden war.[177] Schon vor dem Bau der Anlagen des späteren Arzamas-16 wurde of-

---

[172] Vgl. Popov, S. 25-33.

[173] Vgl. ebd., S. 33.

[174] Vgl. Postanovlenie SM SSSR № 1286-525ss „O plane razvertyvanija rabot KB-11 pri Laboratorii № 2 AN SSSR" 21 ijunja 1946 g. In: Atomnyj proekt SSSR, t. 2, kn. 1, S. 434-456.

[175] Postanovlenie SM SSSR № 805-327ss „Voprosy Laboratorii № 2", 9 aprelja 1946 g. In: Atomnyj proekt, t. 2, kn. 1, S. 429-430, hier: S. 429, Protokol № 19 zasedanija Special'nogo komiteta pri Sovete Ministrov SSSR, 13 aprelja 1946 g. In: Atomnyj proekt SSSR, t. 2, kn. 1, S. 90-95, hier: S. 93.

[176] Vgl. ebd. (Protokol № 19).

[177] Vgl. Pis'mo B.L. Vannikova, A.P. Zavenjagina, N.A. Borisova L.P. Berija o vybore ploščadok dlja stroitel'stva zavodov № 817 i 813, 25 oktjabrja 1945 g. In: Atomnyj proekt SSSR, t. 2, kn. 2, S. 345-348, hier: S. 348.

fenbar ein Sonderbevollmächtigter mit einem Spezialkommando vor Ort gesandt, um möglichst all diejenigen Personen ausfindig zu machen, die sich in der Vergangenheit krimineller Vergehen schuldig gemacht hatten, deshalb als des „politischen Vertrauens nicht würdig" erachtet wurden und für eine Umsiedlung vorgesehen waren.[178] Ein kleinerer Kreis noch schärferer Kontrolle entstand in einem Radius von 5-6 km um die wichtigsten Gebäudekomplexe des Betriebes.[179] Die Entfernung von als „für eine Belassung am Ort ungeeignet" erachteten Personen, darunter zählten die erwähnten *specpereselency* und *repatrianty* sowie verurteilte „Kulaken", hatte die stets gleich formulierte Begründung: Sie sei nötig „mit dem Ziel der Gewährleistung der Sicherheit (...) und der Wahrung der Geheimhaltung" der an den Objekten durchgeführten Arbeiten.[180]

Die im amerikanischen Bombenprojekt erfolgten hastigen Gebietsenteignungen, versehen mit der dürftigen Erklärung, das Land werde „im öffentlichen Interesse benötigt"[181], fanden also auch im Zuge des sowjetischen Projekts statt. Im Fall des Betriebes Nr. 550 wurde auf einem Gebiet von etwa 110 Quadratkilometer Fläche Land beschlagnahmt (wobei das gesamte Gebiet der Regimezone 215 Quadratkilometer betrug) sowie etwa 500 Personen aus der unmittelbaren Regimezone und den umliegenden Dörfern und Ge-

---

[178] Vgl. Popov, S. 16.

[179] Vgl. Protokol № 37 zasedanija Special'nogo komiteta pri Sovete Ministrov, 10 ijunja 1947 g. In: Atomnyj proekt SSSR, t. 2, kn. 1, S. 188-195, hier: S. 189.

[180] Vgl. Pis'mo L.P. Berija I.V. Stalinu s predstavleniem na rassmotrenie proekta postanovlenija SM SSSR ob otselenii lic iz režimnoj zony kombinata № 817, genaues Datum unbekannt (ne pozdnee 8 fevralja 1948 g.) In: Atomnyj proekt SSSR, t. 2, kn. 3, S. 398-399, hier: S. 398, Pis'mo L.P. Berija I.V. Stalinu s predstavleniem na rassmotrenie proekta postanovlenija SM SSSR o meroprijatijach po otseleniju lic iz režimnoj zony KB-11, genaues Datum unbekannt (ne pozdnee 19 ijunja 1946 g.) In: Atomnyj proekt SSSR, t. 2, kn. 1, S. 477-478, hier: S. 478, Pis'mo L.P. Berija I.V. Stalinu s predstavleniem na utverždenie proekta postanovlenija SM SSSR „O merach obespečenija ochrany ob-ekta № 859 (zavoda № 817) Pervogo glavnogo upravlenija pri Sovete Ministrov SSSR, genaues Datum unbekannt (ne pozdnee 21 avgusta 1947 g.) In: Atomnyj proekt SSSR, t. 2, kn. 3, S. 293-294.

[181] Vgl. Groueff: Projekt ohne Gnade, S. 141-142.

meinden umgesiedelt.[182] Ihnen wurden Kompensationen gemäß einer Bestimmung aus dem Jahr 1931 zugesprochen.[183]

Weitere wichtige Schritte bei der Errichtung des strengen Sicherheitsregimes waren das Ziehen eines doppelreihigen Stacheldrahtzaunes in einem Umkreis von etwa 20 km und die Installierung eines Passierscheinsystems (*propusknaja sistema*) nicht nur für die industriellen Anlagen auf dem Gelände des „Objekts", sondern auch für das Betreten und Verlassen des gesamten Objektbereichs.[184] Die Sicherung nicht nur der Regimezone, sondern zusätzlich auch des weiteren Umfeldes der geheimen Anlagen vor „Spionen, Saboteuren und anderen feindlichen Elementen" und dem Durchsickern von Informationen über die durchgeführten Bauarbeiten sollte durch die Organisation von „verstärkter operativ-tschekistischer Arbeit auf dem Objekt Nr. 550 sowie im Bereich der Mordvinischen ASSR und des Gebiets von Gor'kij" durchgeführt werden.[185] Im März 1948 wurden die ersten Schritte für die Übertragung der Sicherungsaufgabe der geheimen „Objekte" vom Innenministerium an das Ministerium für Staatssicherheit (*Ministerstvo gosudarstvennoj bezopasnosti*, MGB) unternommen. Darunter fiel auch die Übergabe von vertrauenswürdigem und erfahrenem Personal sowie notwendigem Material des MVD an das MGB, inklusive aller für die Sicherung notwendigen Fonds.[186]

Es bestand unübersehbar die Problematik eines erheblichen Mangels an qualifiziertem wissenschaftlich-technischen Personal. Die Moskauer Lomonosov-Universität (MGU) konnte beispielsweise im Jahr 1946 die für das Atomprojekt geforderte Mindestzahl von 70 Absolventen der Physikalischen Fakul-

---

[182] Vgl. Pis'mo L.P. Berija I.V. Stalinu (ne pozdnee 21 avgusta 1947 g., FN 179).

[183] Vgl. Postanovlenie SM SSSR № 2144-566ss „O meroprijatijach po otseleniju lic iz režimnoj zony ob-ekta № 550", 19 ijunja 1946 g. In: Atomnyj proekt SSSR, t. 2, kn. 1, S. 478-480, hier: S. 479.

[184] Vgl. Postanovlenie SM SSSR № 297-130ss/op „O merach obespečenija ochrany ob-ekta № 550", 17 fevralja 1947 g. In: Atomnyj proekt SSSR, t. 2, kn. 1, S. 458-460, hier: S. 460, Postanovlenie SM SSSR № 2938-954ss „O merach obespečenija ochrany ob-ekta № 859 Pervogo glavnogo upravlenija pri Sovete Ministrov SSSR", 21 avgusta 1947 g. In: Atomnyj proekt SSSR, t. 2, kn. 3, S. 316-318, hier: S. 317.

[185] Ebd., S. 459. Das heutige Sarov befindet sich ca. 400 km südöstlich von Moskau, 145 km südlich von Nižnij Novgorod und ca. 60 km südwestlich der Stadt Arzamas. Dabei ist die Stadt offiziell Teil des Gebiets (*oblast'*) von Nižnij Novgorod (früher Gor'kij), liegt tatsächlich aber auf dem Gebiet der Mordvinischen Autonomen Republik.

[186] Vgl. Protokol № 56 zasedanija Special'nogo komiteta pri Sovete Ministrov SSSR, 6 marta 1948 g. In: Atomnyj proekt SSSR, t. 2, kn. 1, S. 255-260, hier: S. 257.

tät nicht bereitstellen, was D.V. Skobel'cyn, korrespondierendes Mitglied der sowjetischen Akademie der Wissenschaften, mit einem dringenden Appell an Berija herantreten ließ. Darin hieß es, daß lediglich 20 angehende Atomphysiker in Aussicht stünden und zur Aufstockung „dringende und entschiedene Maßnahmen" nötig seien. So läge aus diesem Grunde eine Demobilisierung ehemaliger Physikstudenten der MGU – sowohl mit abgeschlossenem, als auch mit abgebrochenem Studium – aus der Roten Armee nahe.[187] Wenig später begrenzte sich das Interesse der Hauptverantwortlichen im Atomprojekt nicht mehr nur auf Leningrad und Moskau, sondern auf alle höheren Bildungseinrichtungen des Landes.[188] Barwich traf bei seinem Aufenthalt in „Kefirstadt" auf ein sehr junges und hochmotiviertes technisches Personal, zumeist Absolventen des Moskauer Ingenieur-Technischen Instituts, die bereits – universitäre Einrichtungen mit militärischer Bedeutung wurden zumeist einem strengen Sicherheitsregime unterzogen und für Unbefugte gesperrt – an Geheimhaltung gewöhnt waren.[189] Allein die oberste Führungsschicht dieses „Jugendobjekts" bestand aus Vertretern der älteren Generation.[190] Die Devise konnte hier nur lauten: Eine junge Bevölkerung für eine junge Stadt. Barwich beobachtete damit ein Phänomen, das sich maßgeblich auf den Charakter der hochgeheimen Industrieobjekte auswirkte: Eine ganze Generation junger Spezialisten wurde, zunächst noch in durch die extreme Eile bedingtem Chaos arbeitend und lebend, durch Druck und die als Privileg empfundene Arbeit am „atomaren Schutzschild der Heimat" fest zusammengeschweißt und war im Begriff, ein besonderes Bewußtsein zu entwickeln.

---

[187] Vgl. Pis'mo D.V. Skobel'cyna L.P. Berija o demobilizacii iz Krasnoj Armii voennoslužaščich s cel'ju podgotovki iz nich specialistov po fizike, 11 marta 1946 g. In: Atomnyj proekt SSSR, t. 2, kn. 2, S. 453-454.

[188] Vgl. Protokol № 71 zasedanija Special'nogo komiteta pri Sovete Ministrov SSSR, 6 dekabrja 1948 g. In: Atomnyj proekt SSSR, t. 2, kn. 1, S. 319-329, hier: S. 325.

[189] Vgl. Barwich: Das rote Atom, S. 84-85.

[190] Vgl. ebd.

3.2. Sicherheitsregime und Geheimhaltung

Die Geschichte der später so wirkungsvoll und umfassend operierenden Geheimhaltungsregime-Behörden in den geheimen Gebilden des „Weißen Archipels" nahm ihren Beginn im September 1946. Im Falle von Arzamas-16 handelte es sich dabei zunächst um zehn bis zwölf Mitarbeiter, danach um einzelne Sonderabteilungen und schließlich, ab den 1950er Jahren, um Abteilungen, die überall, an praktisch jeder Arbeitsstelle des „Objekts" präsent waren. Ab Ende der 1950er Jahre wurde die Präsenz der operativen Mitarbeiter des KGB in betrieblichen Kollektiven regulär; sie hielten regelmäßig Vorträge über politische Wachsamkeit.[191] Zu den ersten Handlungen der Regimebehörden zählten konkrete Verschleierungsmaßnahmen. Dazu gehörte, daß Einreisende nicht auf direktem Wege an die geheimen Orte gelangten, sondern erst über eine mehrere Kilometer entfernte Bahnstation geleitet wurden. Die zivilen Siedlungen, auf deren Basis ein Großteil der geheimen Anlagen errichtet worden war, verschwanden von allen offiziellen Karten und aus den statistischen Nachschlagewerken der Sowjetunion. Eine weitere Benutzung der alten Ortsnamen wurde dabei unter strengstes Verbot gestellt, stattdessen wurden ständig wechselnde Tarnbezeichnungen gewählt; im Fall von Arzamas-16 waren das zunächst *„Ob-ekt 550"*, *„KB-11"* (*Konstruktorskoe bjuro-11*) und *„Baza 112"*, ab 1949 *„Privolžskaja kontora Glavgorstroja SSSR"*, nach mehr als zehn Jahren dann 1960 „Arzamas-75" und ab 1968 schließlich „Arzamas-16".[192] Dabei war diese häufige Namensänderung kein Ausdruck des sonst so allgegenwärtigen Verwaltungschaos', sondern gehörte zu einem ganzen Verschleierungssystem, dessen „Erfolg" sich nach Meinung ehemaliger Geheimdienstler darin gezeigt habe, daß es den Amerikanern unter anderem deshalb erst Mitte der 1950er Jahre gelungen sei, die Stadt Arzamas-16 zu identifizieren, obgleich bereits seit Ende der 1940er Jahre Kenntnis von ihrem Bau bestanden habe.[193] Für die geheimen „Basen" waren die erwähnten umgangssprachlichen Bezeichnungen, *ob-ekt*, *zona*, *režimnaja zona*, *zapretnaja zona*, *baza*, *zavod*, *kontora* und *počtovyj jaščik*, gängig. Zumeist wurden auch zur Tarnung die Namen größerer Industriezentren gewählt und

---

[191] Vgl. Popov, S. 50-51.
[192] Vgl. ebd., S. 52.
[193] Vgl. ebd. S. 53.

als „Postfach" dienende Zahlenkürzel angehängt, um den irreführenden Eindruck zu erwecken, der Ort sei Teil, ein „Vorort" dieser Stadt – wie etwa bei Tomsk-7, Čeljabinsk-40, Krasnojarsk-26 oder Sverdlovsk-44. Dabei konnte sich der geheime Ort jedoch weit außerhalb des Gebietes der namensgebenden Stadt befinden, die Atomstädte lagen zwischen 16 und 200 km von ihnen entfernt.[194] Die Verwendung der unterschiedlichen Tarnbezeichnungen hing vom Umfeld der Kommunikation ab: Beim dienstlichen Schriftverkehr mit den Material- und Ausrüstungszulieferbetrieben wurden statt der üblichen internen Benennungen neue, „unverfänglichere" Bezeichnungen gewählt. So erhielt die *Baza № 112* (Arzamas-16) für die Zulieferer den Namen „Wolgakontor der Hauptverwaltung für Bergbau der UdSSR" (*Privolžskaja kontora Glavgorstroja SSSR*), mit der allgemeinen Adresse „Station Šatki" (der Arzamas-16 am nächsten gelegenen zivilen Bahnstation).[195] Zur Kommunikation mit der örtlichen umliegenden Bevölkerung, die Ausstellung von Ausweisen und Bescheinigungen für im „Objekt" Beschäftigte u.ä. wurde für Arzamas-16 die Bezeichnung „Betrieb für Meßgeräte des Ministeriums für Chemische Industrie" (*Zavod izmeritel'nych priborov Ministerstva chimičeskoj promyšlennosti*) benutzt.[196]

Das strenge Geheimhaltungsregime, das angeblich als einziges Ziel die Sicherstellung des nuklearen Überraschungseffekts – „der Westen" sollte sich in Sicherheit wiegen und den Triumph des amerikanischen Bombenmonopols feiern[197] – verfolgte, bekamen die künftigen Bewohner der verbotenen Stadt bereits bei ihrer ersten Einreise zu spüren. Wie etwa im Fall von Arzamas-16 wurde ihnen üblicherweise mitgeteilt, daß sie in eine „geschlossene Zone" im Gebiet um Moskau (*Podmoskov'e*) fahren würden und hatten zuvor in einer als „Gemüse- und Früchtelager" (*ovoščnaja baza*) getarnten Einrichtung in Moskau spezielle Zugfahrkarten zu kaufen.[198] Die Passagiere nach Arzamas-16 wurden in zwei Sonderwaggons – bei seiner ersten Fahrt in das „Objekt" reiste Sacharov im persönlichen Waggon des Vorsitzenden der Ersten

---

[194] Vgl. Rowland, S. 434-435, Atomnye zakrytye goroda Rossii, S. 9.
[195] Vgl. Protokol № 73 zasedanija Special'nogo komiteta pri Sovete Ministrov SSSR, 18 fevralja 1949 g. In: Atomnyj proekt SSSR, t. 2, kn. 1, S. 336-352, hier: S. 342.
[196] Vgl. ebd., S. 343.
[197] Vgl. Popov, S. 49.
[198] Vgl. ebd., S. 10, Sacharow: Mein Leben, S. 133.

Hauptverwaltung, Vannikov[199] – untergebracht, die unterwegs abgehängt und durch eine Sonder-Dampflok zum Bestimmungsort gebracht wurden. Bereits bei der Einfahrt, die offenbar ausschließlich nachts erfolgte, sahen die Ankommenden, daß es sich um ein Objekt von besonderer Bedeutung handeln mußte: Ein Schlagbaum, massive Eisentore, zwei Reihen Stacheldraht mit geharkter Erde dazwischen und die sorgfältige, zumeist mindestens zweistündige Überprüfung der Passagiere und Waggons am Kontrollpunkt (kontrol'no-propusknoj punkt) ließen die Ankunft wie einen Halt an der Staatsgrenze erscheinen.[200] Im Paß der meisten Spezialisten und Mitarbeiter des KGB war der Registrierungsvermerk angegeben: „Moskau, Zentrum-300", die Träger dieser Dokumente galten also offiziell als Moskauer Bürger.[201] Ähnlich wurde in der Behandlung der deutschen Wissenschaftler verfahren. Barwichs am Schwarzen Meer geborene Tochter beispielsweise bekam einen Eintrag in ihre Dokumente, aus dem Moskau als ihr offizieller Geburtsort hervorging.[202] Für die breitere Masse der in den geheimen „Objekten" Wohnenden und Arbeitenden ist diesbezüglich nur wenig bekannt, offenbar aber gehörte es gerade in der Anfangszeit (Ende der 1940er Jahre) zur üblichen Praxis, einfachen Beschäftigten die Pässe abzunehmen, allenfalls durch spezielle, allein auf dem Objektgelände gültige Ausweise (propusk) zu ersetzen und somit einem möglichen Durchsickern von Informationen in die „Außenwelt" einen wirksamen Riegel vorzuschieben.[203]

Das Wohnen in der geheimen Stadt bedeutete ein Leben in der Isolation. Urlaub außerhalb der „Zone" war, ebenso wie jegliche Ausfahrt, in der ersten Zeit bis etwa Mitte der 1950er Jahre untersagt. Ausnahmen konnten lediglich Dienstreisen und Sonderfälle wie Krankheit oder Tod von Verwandten darstellen. Besuche von Verwandten im „Objekt" waren gänzlich unmöglich. Telefongespräche nach „draußen" waren nur begrenzt möglich, bei jeglichen Telefonaten auf offiziellen Linien durften weder die Atomthematik erörtert werden, noch Namen von führenden Wissenschaftlern fallen. Das Verbot des Schriftverkehrs mit der „Außenwelt" wurde ebenso wie die Ausreisebestim-

---

[199] Vgl. ebd., S. 134.
[200] Vgl. Popov, S. 12. Ähnliches beschreibt auch Trutanow bei seiner Einreise in das Gelände der abgeschirmten Anlagen von Semipalatinsk, vgl. Trutanow, S. 29-30.
[201] Vgl. Popov, S. 18.
[202] Barwich: Das rote Atom, S. 25-26
[203] Vgl. ebd., S. 89.

mungen später gelockert, lange Zeit aber unterlag die schriftliche Korrespondenz noch einer strengen Zensur, als Absenderadresse mußte der „von außen" Schreibende ein spezielles Postfach in Moskau angeben.[204] Kindern wurde später, als sie zur Erholung in auswärtige Pionierlager fahren durften, eingeschärft, keine Angaben über die genaue Lage ihres Wohnortes und die Tätigkeit der Eltern zu machen bzw. darüber nur bestimmte (falsche) Informationen freizugeben.[205]

Einige Lockerungen im Sicherheits- und Geheimhaltungsregime ab Anfang der 1950er Jahre waren verbunden mit dem Erfolg beim Test der ersten sowjetischen Atombombe am 29. August 1949. So etwa wurde nach einem Erlaß des PGU vom 16. Januar 1950 in den Kombinaten Nr. 817, 813 und 814 die Möglichkeit zum Urlaub außerhalb der „Zone" – außer in grenznahen Gebieten – für Arbeiter, Wissenschaftler, Ingenieure und Techniker sowie Militärpersonal gewährt, die Erlaubnis für medizinische Behandlungen außerhalb des Stadtgebietes, wenn eine Behandlung in der Stadt nicht möglich war, und zum Studium an auswärtigen Hochschulen gegeben. Personen, die ihren Urlaub innerhalb des Stadtgebietes verbrachten, wurde eine zusätzliche Zahlung von 50 Prozent ihres Lohnes gewährt, was eine Kompensation, aber auch einen Anreiz darstellte, das Stadtgebiet zum Urlaub nicht zu verlassen.[206] In anderen Städten wurde die Ausreise zum Urlaub erst ab 1954, nach dem Sturz Berijas erlaubt, hier wurden ab 1957 Passierscheine für eine freie Ein- und Ausreise aller ständig in der Stadt Wohnenden eingeführt.[207] In Čeljabinsk-70, wie auch in anderen Städten, wurden Rahmenbedingungen für die freie Ein- und Ausreise eingeführt, frühestens sechs Uhr morgens bis sie-

---

[204] Einige dieser speziellen „Postfächer" lauteten *počtovyj jaščik № 813 Glavpočtamta Moskvy* (Briefkasten Nr. 813 des Hauptpostamtes Moskau), *počtovyj jaščik 49* (Briefkasten 49), *Moskva, Centr-300* (Moskau, Zentrum 300), ab 1950 durften Straßen- und Wohnungsnummern der Empfänger in einem Brief „von außen" mit angegeben werden, vgl. Popov, S. 58, Sacharow: Mein Leben, S. 143-144. Die Zensur jeglicher schriftlicher Korrespondenz innerhalb der 25km-Zone wurde bereits sehr früh angeordnet, praktisch noch während der Baumaßnahmen, vgl. Postanovlenie SM SSSR № 2938-954ss „O merach obespečenija ochrany ob-ekta № 859 Pervogo glavnogo upravlenija pri Sovete Ministrov SSSR", 21 avgusta 1947 g. In: Atomnyj proekt SSSR, t. 2, kn. 3, S. 316-318, hier: S. 318.

[205] Vgl. Popov, S. 61.

[206] Vgl. Atomnye goroda Rossii, S. 45.

[207] Vgl. ebd.

ben Uhr abends durfte die Stadt verlassen werden. Bis 21.00 Uhr (von November bis März) und bis 23.00 Uhr (von April bis Oktober) hatte am gleichen Tag die Rückkehr zu erfolgen. Verspätungen konnten strengste Maßnahmen nach sich ziehen, in einem solchen Falle wurde zumeist der Paß gleich am Kontrollpunkt konfisziert. Lediglich für Dienst- und Urlaubsreisen galt die Erlaubnis zum Wegbleiben über Nacht.[208] Ab 1967 galt eine neue Verordnung, nach der nahen Verwandten ein kurzer, zeitlich begrenzter Aufenthalt erlaubt wurde. Eine Spezialkommission konnte so die Genehmigung für einen ohne besondere Gründe erfolgenden Besuch geben. Allerdings war die Zahl der Verwandten, die sich gleichzeitig in der Stadt aufhalten durften, begrenzt und es durfte sich dabei nur um die engsten Angehörigen handeln, also Kinder oder Eltern. Nur verdiente Mitarbeiter, die mindestens schon zehn Jahre in den „Objekten" arbeiteten, durften jeweils einmal in drei Jahren ihre Geschwister einladen.[209]

Die Arbeit in den geheimen Instituten und Fabriken unterstand ebenfalls strengen Regeln: In den meisten Bereichen war es nicht erlaubt, Schreibmaschinen zu benutzen, ebensowenig gab es Stenotypistinnen – alle Aufzeichnungen, und waren es noch so kleine Notizen, wurden von jeweils einer eingeweihten Mitarbeiterin in spezielle, durchnumerierte Hefte ins Reine geschrieben, die nach Beendigung der Arbeit mit einem Stempel versehen kollektiv weggeschlossen wurden.[210] Es war nicht üblich, die Produkte der geheimen Arbeit mit der gebräuchlichen Fachbezeichnung zu benennen; brisante Materialien wurden ebenso wie komplette Fertigstellungen mit Tarnnamen versehen. So ist beispielsweise Uran mit einer ganzen Reihe von Pseudonymen ausgestattet worden, für die Atombombe wurde bezeichnenderweise niemals das Wort selbst, sondern immer nur „Erzeugnis" oder „Konstruktion" verwandt.[211] Die ersten Bombenprototypen trugen die Kürzel „RDS-1" und „RDS-2", wobei deren Aufschlüsselung nicht ganz geklärt ist; einige deuten sie als *„Reaktivnyj dvigatel' Stalina"* (Stalins Strahltriebwerk), andere

---

[208] Vgl. ebd., S. 45-46.

[209] Vgl. ebd., S. 46.

[210] Vgl. Sacharov, S. 140, Popov, S. 58.

[211] Vgl. Popov, S. 58. Einige der unterschiedlichen Tarnbezeichnungen für Uran lauteten unter anderem: „Kremnil-I" (Uran-235), „P-9" (Uranerz), „Vismut" (Uran und Uranerz), „BR-10" (Uranerz), „A-9, AŽ-9" (Uran-238), „Aliv, Aliv-6" (Uranhexafluorid) vgl. Atomnyj proekt SSSR, t. 2, kn. 1, S. 660, S. 664 und S. 667.

als „*Rossija delaet sama*" (Rußland macht / schafft es selbst).[212] Für die Verschickung besonders wichtiger Dokumente innerhalb des „Objekts" wurde zumeist ein doppelter Briefumschlag verwandt, damit der Inhalt nicht durch versehentliches Öffnen in falsche Hände geraten sollte.[213]

Die Gesamtheit dessen, woran in den geheimen Bereichen gearbeitet wurde, war wahrscheinlich den wenigsten in ihrem vollen Ausmaß bekannt, dennoch dürfte den meisten klar gewesen sein, daß es sich um eine Aufgabe von staatstragender Bedeutung handelte. So hielt die durch Attrappen bewerkstelligte Tarnung der eigentlichen Produktion unter dem Vorwand, weiter Munition im ehemaligen Katjuša-Werk Arzamas-16 herzustellen, nach Erkenntnissen der Geheimdienstorgane immerhin die ersten neun Jahre.[214] Sacharov erhielt bei seiner Ankunft im späteren Arzamas-16 von seinem zukünftigen Kollegen Ja.B. Zel'dovič einen wichtigen Rat mit auf den Weg: „Hier ist alles rundherum geheim, und je weniger Unnötiges Sie wissen, desto ruhiger werden Sie es haben. Chariton trägt diese Last, doch er ist ein besonderer Mann."[215] In der Tat besaß Charitons Person gehöriges Gewicht, er war als Chefkonstrukteur technischer Leiter des Konstruktionsbüros Arzamas-16 und für den erfolgreichen Bau und das reibungslose Funktionieren der sowjetischen Atombombe vor Berija und Stalin mindestens genauso so verantwortlich wie Kurčatov.[216] Für seine Sicherheit wurde deshalb besonders gesorgt, sein Haus in Arzamas-16 wurde nachts von Soldaten bewacht, rund um die Uhr umgaben ihn bewaffnete Leibwächter, Mitarbeiter einer Sonderabteilung des MGB (KGB).[217] Andere führende Wissenschaftler wie Kurčatov, Zel'dovič

---

[212] Vgl. Popov, S. 39-40.

[213] Vgl. ebd., S. 59.

[214] Vgl. ebd., S. 54-55.

[215] Zit. nach Sacharow: Mein Leben, S. 135.

[216] Vor der Zündung der ersten sowjetischen Atombombe, am 9. Januar 1947, empfing Stalin Kurčatov und Chariton zu einem dreistündigen Treffen und erörterte mit ihnen die Möglichkeiten einer Teilung der bereits vorhandenen Plutoniummenge in zwei Hälften, um zwei verschiedene Bomben zu bauen. Daß Stalin dabei eine vernickelte Kugel mit einem Plutoniumkern gezeigt worden sein soll, wie immer wieder behauptet worden ist, gehört offenbar jedoch in das Reich der Legenden. Vgl. Posetiteli kremlevskogo kabineta I.V. Stalina. In: Istoričeskij archiv (1994) 6, S. 4-44 – (1997) 1, S. 3-39, hier: (1996) 5/6, S. 3-61, hier: S. 4, Khariton / Smirnov, Heinmann-Grüder, S. 133-134. Zur Person Charitons vgl. weiterhin V.B. Adamskij / Ju.N. Smirnov: Julij Borisovič Chariton. In: Voprosy istorii (1997) 10, S. 51-67.

[217] Vgl. Al'tšuler.

und Sacharov bekamen ebenfalls mehrere „Sekretäre", die sich Tag und Nacht in der Nähe ihrer „Patrone" aufhielten.[218] Außerdem benutzten die Wissenschaftler falsche Adressen, die zumeist Moskau zu ihrem offiziellen Wohnort machten, ebenso wie Pseudonyme und Tarnbezeichnungen (Sacharov = „A. Stepanov", Chariton = „Bulyčev", Kurčatov = „Boroda" / „Borodin").[219] Um die Identität wichtiger Forscher im Verborgenen zu halten, wurde in der Regel auch ein Publikationsverbot erlassen, so daß mit einem Schlag die Namen führender Atomwissenschaftler in Fachzeitschriften, in Zeitungen und im Fernsehen nicht mehr auftauchten.[220] Allerdings ist dabei unerklärlich, wie naiverweise davon ausgegangen werden konnte, daß westliche Spionagedienste die Schlüsselpersonen des sowjetischen Bombenprojekts nicht genau anhand dieser Methode spielend leicht identifizieren konnten. Aufmerksamen Beobachtern und Kennern der sowjetischen Kernphysik mußte auffallen, wer urplötzlich von der Bühne der Fachpublizistik verschwand. Dennoch aber zeigte diese Taktik einigen Erfolg, was nicht zuletzt an der Tatsache gelegen haben mag, daß ein Großteil der streng behüteten Wissenschaftler im sowjetischen Bombenprojekt zur entscheidenden Zeit noch sehr jung war und deshalb noch nicht über einen bedeutenden Ruf verfügte.[221]

Die verschärften Sicherheitsbestimmungen, die sich bisweilen eher als behindernd denn als nützlich erwiesen, führten hin und wieder zu kuriosen Situationen. L.V. Al'tšuler (ein damaliger Mitarbeiter Sacharovs) lieferte dazu eine Episode aus dem Jahr 1949: In Ermangelung wichtiger Proben für Versuche hatten Bestellungen nach Moskau geschrieben zu werden, die jedoch erst geprüft werden sollten. Da dies entschieden zuviel Zeit in Anspruch genom-

---

[218] Vgl. Popov, S. 52-53, Sacharow: Mein Leben, S. 135. Die Bezeichnung „Sekretäre" galt offiziell tatsächlich, vgl. Pis'mo V.A. Machneva i N.I. Pavlova L.P. Berija ob ochrane veduščich učenych, genaues Datum unbekannt (ne pozdnee 7 marta 1947 g.) In: Atomnyj proekt SSSR, t. 2, kn. 3, S. 642. Gemäß einer Verordnung des Ministerrats hatte für die erwähnten Wissenschaftler eine „operativ-tschekistische Betreuung" durch jeweils zwei bis drei Mitarbeiter des MGB organisiert zu werden. Vgl. Postanovlenie SM SSSR № 1254-445ss/op „Ob ochrane i operativno-čekistskom obsluživanii veduščich učenych, rabotajuščich v oblasti atomnoj ėnergii", 26 marta 1949 g. In: Atomnyj proekt SSSR, t. 2, kn. 1, S. 512.

[219] Weiterhin wurden bisweilen spezielle Kürzel verwandt, so für Sacharov – „ADS" (nach den Initialen), für Chariton – „JuBĖ", für Zel'dovič – „Djadja Jaša" usw. Vgl. Popov, S. 54.

[220] Vgl. ebd., Medvedev: Atomnaja bomba, S. 113.

[221] Im Jahre1945 waren Chariton 41, Kurčatov 42, Zel'dovič 36 und Sacharov 24 Jahre alt.

men hätte, erklärte sich Al'šuler bereit, persönlich in die Hauptstadt zu fahren, um die Prozesse zu beschleunigen. Erst nach mehreren Monaten erhielt er die Erlaubnis dazu und durfte allein zu Vannikov fahren, der daraufhin einen Tobsuchtsanfall bekam, weil er nichts von den dringenden Bedürfnissen wuß-te.[222] Es konnte weiterhin geschehen, daß ein hoher Amtsträger, wie der Stellvertreter Zavenjagins, V.S. Emeljanov, beim Passieren zweier verschiedener Wachposten eines geheimen Betriebes festgehalten wurde, weil der zweite kontrollierende Soldat Unstimmigkeiten in den Dokumenten bemerkt zu haben glaubte. Der erste Wachposten geriet in Panik und ließ Emeljanov nicht mehr hinaus, der auf einer winzigen Fläche gefangen war und erst nach über einer Stunde freikam.[223] Als sich der deutsche Uranexperte Nikolaus Riehl bei Zavenjagin bezüglich der Behinderung seiner Arbeit durch das Geheimhaltungsregime beschwerte und sagte: „Ihre Geheimnishüter drücken uns die Kehle zu", erwiderte Zavenjagin resignierend: „Uns auch!"[224]

Interessanterweise wird die Geheimhaltungsmanie, der wahre Kult um die Verschleierung brisanter „Objekte" und ganzer mit der Atomenergie verbundener Industriezweige, mitunter eben nicht als „unmäßig" oder „übertrieben", sondern angesichts der westlichen Spionagebemühungen als „vollkommen gerechtfertigt" eingeschätzt.[225] Zudem habe sich die Praxis der extremen Geheimhaltung (*sekretnost'*) durch den letztendlichen „Erfolg" – den Bau einer einsatzfähigen sowjetischen Atombombe und das damit verbundene Erreichen der militärischen Parität mit den Amerikanern – mehr als bewährt und sei deshalb wegen des Beitrags für die internationale Stabilität sogar rechtmäßig gewesen.[226] Und schließlich habe man letzten Endes nichts anderes als die Amerikaner selbst betrieben. Die Parallelen zum amerikanischen Bombenprojekt seien unübersehbar: Der Publikationsstop, der Aufbau eines komplett neuen Industriezweigs, die von westlichen Wissenschaftlern entwickelte Idee von der (totalen) Geheimhaltung aus Angst vor einer deutschen Superwaffe und nicht zuletzt die vielfältigen Tarnbezeichnungen und Deck-

---

[222] Vgl. Al'tšuler.
[223] Vgl. Riehl, S. 81-85.
[224] Vgl. ebd.
[225] Vgl. Popov, S. 65.
[226] Vgl. ebd.

namen für Wissenschaftler und „Objekte".[227] Im übrigen hätten es die Amerikaner im Vergleich zum sowjetischen Programm in punkto Geheimhaltung
gar noch übertrieben; nicht umsonst sei von Los Alamos als einem „Konzen-
trationslager für Nobelpreisträger" gesprochen worden.[228] Ironischerweise
richtete sich dieser enorme Aufwand nun gegen „den Westen" selbst, von
dem das sowjetische Atombombenprojekt die entscheidenden Impulse erhalten hatte.

In der Tat läßt sich bei der Realisierung des Geheimhaltungsregimes im
amerikanischen Bombenprojekt eine deutliches Vorbildwirkung ausmachen:
Jede Person oder Gruppe durfte nur wissen, was für die eigene Arbeit unbedingt nötig war, den wenigsten war bekannt, daß sie an einer amerikanischen
Atombombe arbeiteten.[229] Der dadurch außerordentlich mangelhafte Informationsaustausch verursachte wie später in der Sowjetunion nicht selten Dop-
pelforschungen und extremen Zeitverlust.[230] Zur Lösung dieses Problems
kam man zu dem Schluß, daß es für das Projekt dienlich sei, alle für eine
Bombenkonstruktion fähigen und nötigen Spezialisten an einem Ort zusam-
menzufassen, sie jedoch von der Außenwelt zu trennen.[231] Das auf diese
Überlegungen hin entstandene Bombenlaboratorium Los Alamos in New Mexico bildete später das Muster für das sowjetische Arzamas-16. Das Ausrei-
severbot in der Anfangszeit, die gemeinsamen Tarnadressen und Deckna-
men für Wissenschaftler, das strenge Publikationsverbot, die Zensur und das
Abhören der Telefongespräche, die Leibwächter, das Schweigegebot und die
damit verbundenen Lügen Dritten und sogar nächsten Familienangehörigen
gegenüber, die Reisesondergenehmigungen, die Codenamen für brisante
Elemente und chemische Stoffe, ja sogar die gleichen grotesken Situationen,
in denen Führungskräfte aufgrund von Irrtümern oder Verletzungen des Sicherheitsregimes nicht in ihre eigenen Bereiche zugelassen wurden – all diese Besonderheiten stellen keinesfalls nur eine Eigenheit des sowjetischen
Atombombenprojekts dar.[232] Popovs Erklärung der Geheimhaltungsmaßnah-

---

[227] Vgl. ebd., S. 65-68.
[228] Vgl. ebd., S. 66.
[229] Vgl. Groueff: Projekt ohne Gnade, S. 46-47, Jungk: Heller als tausend Sonnen, S. 111.
[230] Vgl. ebd.
[231] Vgl. Groueff: Projekt ohne Gnade, S. 47.
[232] Vgl. ebd., S. 53, S. 136, S. 201 und S. 281-282, Jungk: Heller als tausend Sonnen, S. 110-112.

men als Entsprechungen des in seiner Art noch extremeren amerikanischen Vorbildes lassen jedoch ein permanentes Rechtfertigungsbedürfnis deutlich hervortreten. Die Zeit sei „eben so gewesen", die beiden Gegner hätten im Rüstungswettlauf einander nichts zu schenken gehabt. Dennoch erklärt dies nicht, warum einige der teilweise aberwitzigen Maßnahmen nach Erreichen der Parität in der Sowjetunion fortgeführt wurden während die Amerikaner ihre Geheimstädte enttarnten. Die in vielen Bereichen der sowjetischen Gesellschaft tief verankerte, beobachtbare, bisweilen bedenkliche Geheimhaltungsmanie wird hier lediglich heruntergespielt.

3.3. Druck

In den Erinnerungen wurde bisweilen eingeräumt, daß das strenge Geheimhaltungsregime zwar enorm isolierte; dennoch aber zu ertragen gewesen sei, wenn man sich nur arrangierte, sich genau an die Sicherheits- und
Geheimhaltungsvorschriften hielt. Sogar positiv habe sich diese dauerhafte
Isolierung auf die Menschen ausgewirkt, sie diszipliniert und ihre Arbeit pro-
duktiver gemacht, weil ihr Gefühl für Pflicht und Verantwortung durch das
Geheimhaltungsregime gestärkt worden sei.[233] Etwas anders freilich beur-
teilte dies Sacharov, der eine „einseitige Orientierung" des „Objekts" be-
merkte, bei dem die Nachbarschaft des Gefangenenlagers mit seinen Straf-
arbeitern und die Strenge des Sicherheitsregimes bei den Wissenschaftlern
in psychologischer Hinsicht ein Vergraben in die Arbeit bewirkte. Recht bald
habe sich die Erkenntnis eingestellt, daß die enorme Konzentration von Mitteln für eine „gewaltige Sache" auf Kosten des gesamten Landes ging, daß
„Opfer und Schwierigkeiten nicht umsonst sein durften"[234] und „daß in jedes
Gramm [radioaktiven Materials] viele Menschenleben ‚eingepreßt' [waren]"[235].

Tatsächlich hatten die Bewohner, einfache Techniker wie führende Wissenschaftler gleichermaßen, angesichts der Präsenz von arbeitenden Häftlingen in der Stadt stets vor Augen, welches Schicksal ihnen bei möglichen Ver-
fehlungen drohen konnte. Zumal konnten ständig hohe Delegationen ein-
treffen, die nach der Ursache der Nichteinhaltung von Zeitplänen suchten.[236]
Ein allgegenwärtiges Plakat für Gefangene erinnerte sie täglich daran: *„Za-
pomni étu paru strok: Rabotaj tak, čtob snizit' srok."* („Behalte diese Zeilen:
Arbeite so, daß sich die Haftfrist verkürzen werde.")[237] Große Versagens-
angst besonders bei verantwortlichen Wissenschaftlern und Technikern war
die Folge, so sind einige Fälle bekannt, in denen Irrtümer und Mißverständ-
nisse zu tragischen Ereignissen führten, weil der Druck auf den „Schuldigen"
zu groß zu werden drohte. Ein Mitarbeiter eines Moskauer Instituts beging

---

[233] Vgl. ebd, S. 59.
[234] Sacharow: Mein Leben, S. 123 und S. 145
[235] Ebd., S. 136.
[236] Vgl. Postanovlenie SM SSSR № 1273-482ss / op ob otkomandirovanii tt. Malyševa
V.A., Kikoina I.K. i dr. na zavod № 813 dlja prinjatija mer po uskoreniju stroitel'nych i
montažnych rabot, 20 aprelja 1948 g. In: Atomnyj proekt SSSR, t. 2, kn. 3, S. 465-466.
[237] Vgl. Al'tšuler.

Selbstmord, nachdem er geheime Dokumente versehentlich in einen falschen Aktenordner verlegt hatte und die Konsequenzen fürchtete, die ihm unbedingt drohten.[238] Ein weiterer Fall ereignete sich in Sacharovs Umkreis, bei dem einem Mitarbeiter ein „geheimes Element" während eines Toilettenganges abhanden gekommen war. Nachdem das Element nach langem Suchen in der Kanalisation wiedergefunden worden war, wurde er nach seiner sofortigen Verhaftung recht schnell wieder freigelassen, verlor jedoch seine Arbeit und durfte „als Träger von Staatsgeheimnissen und eines Lochs in der Tasche (...) das Objekt nicht verlassen".[239] Mitunter baten auch führende Angestellte nach der Beförderung in höhere Positionen um ihre Rückversetzung an die alte Arbeitsstätte, weil sie sich den enormen Anforderungen nicht gewachsen sahen.[240] Anschaulich verdeutlicht eine weitere Begebenheit, daß die Empfindlichkeit bei Verletzungen der Geheimhaltungsvorschriften besonders hoch war. So geriet der Direktor des Kombinats Nr. 817 (Čeljabinsk-40), B.G. Muzrukov, in das Visier des Sicherheitsdienstes. Ihm wurde eine „leichtsinnige, verantwortungslose Einstellung zur Wahrung der Geheimhaltung" vorgeworfen, weil er einem auswärtigen Kollegen – ohne ihn einer gründlichen Überprüfung unterziehen zu lassen – eine Beschäftigung im „Objekt" versprochen und eine weitere Person um die Beschaffung von Spezialliteratur gebeten habe, die wiederum sehr leicht Aufschlüsse über den Charakter des geheimen „Objekts" habe geben können. Dieser „Verstoß" blieb für Muzrukov zwar ohne ernsthafte Folgen, handelte ihm allerdings immerhin einen strengen Verweis per Anordnung des Ministerrats ein, der eine klare Warnung darstellte.[241]

Bisweilen wurde versucht, humorvoll mit der permanenten psychischen Belastung umzugehen. L.V. Al'tšuler etwa befestigte an der Wand seines Arbeitszimmers ein Plakat mit der Warnung: „Achtung, dies ist kein Ort für

---

[238] Vgl. ebd.

[239] Vgl. Sacharow: Mein Leben, S. 144-145.

[240] Vgl. Pis'mo Berija I.V. Stalinu s predstavleniem na utverždenie proekta postanovlenija SM SSSR ob osvoboždenii S.V. Sadovskogo ot objazannostej pervogo zamestitelja direktora kombinata № 817, genaues Datum unbekannt (ne pozdnee 13 janvarja 1948) In: Atomnyj proekt SSSR, t. 2, kn. 3, S. 383-384.

[241] Vgl. Postanovlenie SM SSSR № 1274-483ss/op „O tov. Muzrukove", 20 aprelja 1948 g. In: Atomnyj proekt SSSR, t. 2, kn. 3, S. 466.

Dienstgespräche!"[242] Ein Zwischenfall wie im Falle Muzrukovs hätte jedoch auch ernster ausgehen können, die Strafen wurden wenig später enorm verschärft. Berija folgte dabei angeblich der zynischen Methode hierarchischer Bestrafung, daß also diejenigen, denen nach dem erfolgreichen Atombombentest der Stalinpreis verliehen wurde, im Fall des Versagens erschossen worden wären; diejenigen, die den Leninorden bekamen, hätten die maximale Haftstrafe bekommen.[243] Emeljanov meinte später zu Barwich: „Bedenken Sie, was geschehen wäre, wenn wir es damals nicht geschafft hätten. Erschossen hätte man Sawenjagin und mich, glatt erschossen. Das viele Geld, das uns anvertraut war!"[244] Dieser sich in ohnehin schon sehr knappen Fertigstellungsfristen äußernde enorme Druck, der noch mehr verschärft wurde durch ein einem regelrechten „Fetisch" (Fedor D. Popov) gleichkommendes Geheimhaltungsreglement, zeigte besonders unter den Untergebenen Berijas mit Verantwortung eine breite Wirkung. Kaum eine dieser Führungspersönlichkeiten kämpfte infolge des hohen Stresses nicht mit Herzkrankheiten, Kurčatov erlag 1960 kaum 60-jährig seinem dritten Herzinfarkt. Vannikov, der bereits 1947/48 durch einen erlittenen Infarkt erheblich in seiner Arbeit beeinträchtigt war, starb 1962 im Alter von 65 Jahren, Zavenjagin 1956 bereits mit 55 Jahren.[245]

Trotz der ständigen Androhung von strengen Strafen bei Verstößen gegen die Sicherheits- und Geheimhaltungsrichtlinien scheinen konkrete Bestrafungen mit „echten" Folgen für die Betroffenen ausgeblieben zu sein. Sacharov und Al'tšuler, die wegen ihrer kritischen Einstellung allen Grund zum Bericht über derartige Fälle hätten, sagen dazu nichts aus.[246] Mit Sicherheit wäre ein strengeres Vorgehen als die bloße Versetzung von Mitarbeitern oder das Erteilen von Verweisen allein schon aus Abschreckungsgründen von offizieller Seite nicht verheimlicht worden. Daher liegt die Vermutung nahe, daß ledig-

---

[242] Vgl. Al'šuler.
[243] Vgl. Khariton / Smirnov.
[244] Zit. nach Barwich: Das rote Atom, S. 87.
[245] Vgl. Albrecht / Nikutta, S. 107-108.
[246] Eine Ausnahme bildet hier eine Begebenheit, von der Sacharov berichtet: In einem der in Moskau gelegenen Institute hatte eine Stenotypistin ein Blatt mit einer mathematischen Aufgabe verwandt und vernichtet, ohne es vorher registrieren zu lassen. Auf diesen „Vorfall" hin erhielt der Leiter der geheimen Institutsabteilung Besuch von einem Staatssicherheitsbeamten und erschoß sich zwei Tage später. Die Stenotypistin blieb offenbar über ein Jahr lang in Haft. Vgl. Sacharow: Mein Leben, S. 130.

lich eine permanente Drohkulisse geschaffen wurde, die genügend Druck ausübte, um die Wissenschaftler dauerhaft an die Sicherheitsvorschriften zu binden, so daß konkrete Bestrafungen nur selten nötig waren. Zudem verschaffte die Kombination aus eigenem Interesse, einer klar definierten Arbeitsaufgabe, permanentem Zeit- und Leistungsdruck und außerordentlichen Vergünstigungen genügend Motivation für eine Arbeit unter voller Konzentration.

3.4. Privilegien

Trotz der eben illustrierten, mitunter geradezu erdrückenden Stimmung wird immer wieder – auch vom in dieser Hinsicht recht kritischen Sacharov – betont, daß in den wissenschaftlichen Kollektiven eine „angenehme Atmosphäre" der „Zusammenarbeit und des vollkommenen Vertrauens"[247] geherrscht habe. Der offizielle Arbeitstag dauerte von 9.00–18.00 Uhr, „jedoch befanden sich ohne Ausnahme alle schon gegen acht Uhr morgens an ihren Arbeitsplätzen, ohne irgendeine Anweisung von oben. Und nach Hause ging man erst, nachdem das ganze Tagespensum erfüllt war."[248] Die Arbeit dauerte oft bis in die Nacht hinein, so daß Laboranten bisweilen nach Hause gejagt werden mußten, dabei verließen die Führungskräfte die Laboratorien stets als letzte.[249] Diese „sehr sachlich[e], kameradschaftlich[e] und ungewöhnlich anstrengend[e]"[250] Atmosphäre habe trotz des Termindrucks günstige und inspirierende Arbeitsbedingungen sichergestellt, weshalb die sowjetischen Kollektive im übrigen auch stärker und effektiver als die analogen Einrichtungen in den USA gewesen seien.[251] Dabei wurden die Institute finanziell exzellent unterstützt und fast immer sofort – Al'tšulers weiter oben erwähnte Episode von den Versorgungsschwierigkeiten scheint eher eine Ausnahme darzustellen – mit den benötigten Materialien versorgt. Sobald ein bestimmter auswärtiger Industriebetrieb eine Anfrage vom „Objekt" per Schreiben mit dem charakteristischen roten Streifen bekam, wurde zumeist alles stehen- und liegengelassen und der Auftrag der *atomščiki* umgehend, d.h. innerhalb von zwei bis drei Tagen, erfüllt.[252] Ein Wissenschaftler gibt beispielsweise an, daß in einem Fall in den späten 1940er Jahren für ein wichtiges Experiment in Arzamas-16 dringend zwei bis drei Kilogramm Quecksilber gebraucht wurden, dessen Lieferung auch eilends erfolgte. Die Auswirkungen dieses Beispiels extremer Materialkonzentration in dem noch immer vom verlustreichen Weltkrieg geschwächten Land waren so gravierend, daß nach der besagten Lieferung für drei bis vier Jahre im ganzen Land keine Fieberthermometer

---

[247] Al'tšuler.
[248] Popov, S. 35.
[249] Vgl. ebd.
[250] Sacharow: Mein Leben, S. 141.
[251] Vgl. Popov, S. 36
[252] Vgl. ebd.

mehr zu kaufen waren.[253] Rückblickend wurde eine solch außergewöhnliche Mittelkonzentration bisweilen vehement abgestritten: „Manche Leute sagen, wir hätten das Volk ‚arm gemacht', sogar Gorbatschow hat sich mal in diesem Sinne geäußert. Aber das ist dumm! Wir haben nie hohe Gehälter bekommen, nie in Milch und Honig gelebt."[254] Demgegenüber stehen Beschwerden, gerichtet an den persönlichen Sekretär Stalins, die die „Verschwendung von Milliardensummen und materieller Ressourcen des Landes" im Zuge des sowjetischen Atomprojekts anprangern und zudem die Führungsriege der Ersten Hauptverwaltung und des Wissenschaftlich-Technischen Rats der „Trägheit" und der „Initiativlosigkeit" sowie des mangelnden Bewußtseins der eigenen Aufgaben beschuldigen.[255]

Enorme Privilegien und Sonderberechtigungen erstreckten sich nicht allein auf Forschungseinrichtungen und Werkstätten, sondern auf nahezu alle Lebensbereiche in einer geheimen Stadt. Kurčatov gab in seinen Aufzeichnungen ein Gespräch mit Stalin von 1946 wieder:

> „Er sagte, daß unsere Wissenschaftler sehr bescheiden sind, und daß sie gar nicht merken, daß sie schlecht leben, - das schon ist schlecht, und obwohl, wie er sagt, unser Staat stark gelitten hat, kann immer dafür gesorgt werden, daß (einige? tausend?) Menschen ausgezeichnet leben, ein eigenes Wochenendhäuschen besitzen, um sich zu erholen, daß sie ein Auto bekommen..."[256]

Offenbar war Stalin um die Anspornung und das materielle Wohlergehen der Wissenschaftler besorgt.[257] In der Tat wurden mehrere Spezialisten aus Kurčatovs Stab wenig später „für wissenschaftliche Entdeckungen und technische Errungenschaften auf dem Gebiet der Nutzung von Atomenergie" mit teilweise erheblichen Geldsummen geehrt.[258] In einem, auf den 29. Oktober 1949 da-

---

[253] Vgl. Gubarew, S. 52-53.

[254] Zit. nach ebd., S. 192.

[255] Vgl. Pis'mo staršego inženera-konstruktora PGU pri SM SSSR M.Ja. Suchova A.N. Poskrebyševu o centrifužnom metode razdelenija izotopov urana, 27 dekabrja 1947 g. In: Atomnyj proekt SSSR, t. 2, kn. 3, S. 755-756.

[256] Zit. nach Medvedev: Atomnaja bomba, S. 112 (Inhalt der Klammer so bei Medvedev).

[257] Vgl. Popov, S. 36.

[258] Dabei reichten die Auszahlungen von 20.000 Rubel für weniger bedeutende Verdienste bis hin zu 125.000 Rubel für Durchbrüche auf dem Gebiet von Uranverbindungen; einige Projektleiter wie Arcimovič und Kurčatov erhielten dabei jeweils 75.000 Rubel. Vgl. Postanovlenie SM SSSR № 415-175ss/op o premirovanii naučnych i inženerno-

tierten, geheimen Erlaß des Ministerrats wurde die Belohnung von Wissenschaftlern durch die Verleihung von Staatspreisen, wie dem Titel des „Helden
der Sozialistischen Arbeit" oder des Trägers des „Stalinpreises" festgelegt. Die
Titel und Preise waren zumeist verbunden mit prestigeträchtigen Automobilen
und Wochenendhäuschen. Auch die Familienangehörigen von Preisträgern
bekamen für gewöhnlich ebenfalls umfangreiche Vergünstigungen, die beispielsweise eine lebenslange kostenlose Nutzung aller Land-, Luft- und Was-
sertransportmittel in der ganzen Sowjetunion umfaßte. Diese Art der Vergünstigungen wurde allerdings später unter Chruščev abgeschafft.[259]

Doch nicht nur für das Auskommen der „Objektleute" auf höchster Versor-
gungsstufe wurde sichergestellt, auch der übrigen Bevölkerung, den „Städtischen", wurden Lebensbedingungen geboten, die um ein Vielfaches über denen der „Außenwelt" standen, und auch die Versorgungslage der privilegier-
ten Hauptstadt weithin übertrafen. Das Politbüromitglied L.M. Kaganovič bezeichnete die Atomstädte später als regelrechte „Kurorte".[260] Die ersten nennenswerten Verbesserungen äußerten sich in der Verkehrsinfrastruktur. So
wurde in Arzamas-16 bereits 1948 eine Buslinie eingerichtet, die den Trans-
port der Menschen von den Wohngebieten an die Arbeitsstellen ermöglichte.
Diese Neuerung dürfte für eine kleine Provinzstadt – Ende der 1950er Jahre
zählte die Bevölkerung von Arzamas-16 gerade einmal etwa 20.000 Menschen[261] – angesichts der Nachkriegsverhältnisse in der Sowjetunion durchaus keine Selbstverständlichkeit darstellen. „Das Werk und die neue Stadt
waren in Anlehnung an und teilweiser Durchdringung einer alten dörflichen
Siedlung aufgebaut worden"[262], die Bewohnerschaft, vorwiegend jungen und
mittleren Alters, lebte in den Anfangsjahren zumeist noch im *finskij poselok*,
einem mit Finnhütten bebauten Stadtteil.[263] Später wurden das Führungsper-

---

techničeskich rabotnikov za naučnye otkrytija i tehničeskie dostiženija v oblasti
ispol'zovanija atomnoj ènergii, 5 marta 1947 g. In: Atomnyj proekt SSSR, t. 2, kn. 3, S.
152-156.

[259] Vgl. Khariton / Smirnov.

[260] Vgl. Knoll / Kölm, S. 254.

[261] Vgl. Popov, S. 36.

[262] Barwich: Das rote Atom, S. 79.

[263] Vgl. Al'tšuler, Popov, S. 22. Diese Art provisorischer Unterkünfte waren offenbar im
ganzen militärisch-experimentellen Bereich verbereitet, wie ein Teilnehmer von
Raketentests in Kapustin Jar bezeugt. Vgl. „Tjagoty i lišenija byli ne naprasny." Vo-

sonal in ein- und doppeletagigen Häusern, die „Städtischen" in komfortableren Mehrfamilienhäusern untergebracht.[264] Dabei dürfte eine verschärfte Wohnungsnot wie in der übrigen Sowjetunion – mit ihrer chronischen Untererfüllung der 1922 per Gesetz festgelegten Wohnraumnorm von neun Quadratmetern pro Kopf[265] – kein ernstzunehmendes Problem in den geheimen Städten dargestellt haben. Es gibt Hinweise darauf, daß auch beim Bau der Wohnanlagen anhand der gewonnenen Geheimdienstmaterialien eine Kopie der amerikanischen Atomanlagen erfolgte, so daß das Bauvolumen Ausmaße annahm, die den analogen amerikanischen wohnungsbaulichen Maßstäben kaum nachstanden.[266] In der Stadt – wenigstens war dies bei Arzamas-16 der Fall – wurden im übrigen zumeist keine Hochhäuser errichtet, weil die Versuche mit Explosivstoffen im nahegelegenen industriellen Bereich (*promzona*) nur eine massive Bauweise erlaubten.[267] Zudem gab es in Arzamas-16 ein als „Generalsdatscha" bezeichnetes luxuriöses Gebäude, ein Hotel, in dem besuchende führende Wissenschaftler, Militärs und andere Mitarbeiter des Spezialkomitees und des späteren Ministeriums für Mittleren Maschinenbau

---

spominanija general-majora N.G. Merzljakova o rabote na poligone Kapustin Jar v 1949-1955 gg. In: Istoričeskij archiv (2000) 5, S. 17-26, hier: S. 25.

[264] Vgl. Al'tšuler, Barwich: Das rote Atom, S. 80.

[265] Im Jahr 1940 betrug die Wohnraumfläche in der Sowjetunion durchschnittlich gerade einmal die Hälfte der erwähnten Norm, 4,5 m² pro Kopf, selbst 1977 stieg sie nicht über 8,2 m². Vgl. R. u. K. Meier: Sowjetrealität in der Ära Breschnew. Stuttgart 1981, S. 102. Einige von diesen Angaben erheblich abweichende, dennoch die Annahme von der geringen Pro-Kopf-Wohnfläche nach dem Zweiten Weltkrieg (3 m²) bestätigende Zahlen bietet K. Gerasimova: Public Spaces in the Communal Apartment. In: G.T. Rittersporn / M. Rolf / J.C. Behrends (Hrsg.): Sphären von Öffentlichkeit in Gesellschaften sowjetischen Typs. Zwischen partei-staatlicher Selbstinszenierung und kirchlichen Gegenwelten. (= Komparatistische Bibliothek 11) Frankfurt am Main u.a. 2003, S. 164-193, hier: S. 167. Vgl. weiterhin H.W. Morton: Who gets what, when and how? Housing in the Soviet Union. In: Soviet Studies 32 (1980), S. 235-259, A. Martiny: Bauen und Wohnen in der Sowjetunion nach dem Zweiten Weltkrieg. Bauarbeiterschaft, Architektur und Wohnverhältnisse im sozialen Wandel. Berlin 1983.

[266] So waren nach Angaben des bereits für den Bau des Moskva-Wolga-Kanals in den 1930er Jahren beauftragten Militärs und Chefs von „Glavpromstroj" A.N. Komarovskij Mitte 1948 bereits 5.400 Gebäude mit einer Fläche von 800.000 m² errichtet worden. Vgl. Spravka A.N. Komarovskogo V.A. Machnevu o masštabach žiliščno-kommunal'nogo stroitel'stva na ob-ektach Pervogo glavnogo upravlenija pri SM SSSR, 24/25 ijunja 1948 g. In: Atomnyj projekt SSSR, t. 2, kn. 3, S. 837-838. Die als erstes errichteten industriellen Anlagen hatten schon lange vorher die Form die gleiche Form wie ihre amerikanischen Vorbilder erhalten, vgl. Barwich: Das rote Atom, S. 81.

[267] Vgl. Popov, S. 22.

abstiegen. Diese abgelegene Ecke des Stadtgebietes wurde deshalb „Eliten-
insel" genannt.[268]

Städtebau und Architektur wurden von der sowjetischen Führung auch in
der Nachkriegszeit einerseits zur Demonstration ihrer Macht zur Verwirklichung ihrer Vorhaben und aller dazu notwendigen Mittel und andererseits als
Beweis der Sorge um das Wohl der Gesellschaft, des sowjetischen Volkes
nutzbar gemacht.[269] Gerade in den „geheimen" Städten, an den streng kontrollierten und schwer zugänglichen Orten existierten potentiell günstige Bedingungen für eine Verbindung der schöpferischen Ansprüche der Städtebauer mit der sowjetischen Praxis der Demonstration von Macht und Ideologie. Allerdings beantwortete sich in punkto städtebauliche Verwirklichungen
die Frage „Wer hat das Sagen in der Stadt?" sofort und eindeutig. Betriebsdi-
rektoren, entsprechende Ministerien und ihre Behörden sowie Parteiorgane
bestimmten die architektonisch-städtebaulichen Tätigkeiten der Architekten
und Baumeister in den „verbotenen" Städten nachhaltiger als üblich. Die Rolle der Architekten im eigentlichen Bauprozeß fiel mehr als bescheiden aus,
nicht zuletzt, weil mit der gleich zu Anfang erfolgenden Errichtung der industriellen Anlagen, der Eisenbahnnetze und der Versorgungsinfrastruktur klare
Prioritäten gesetzt waren. Zunächst blieb keine Zeit für Entwürfe zum Bau
von vollwertigen Wohnhäusern (daraus resultierten auch die Baracken und
Finnhütten der Anfangsphase) – erst später konnte mit der Errichtung einer
nennenswerten sozialen Infrastruktur begonnen werden. Zudem wird deutlich, daß – umgekehrt zur üblichen sowjetischen Praxis[270] – in den Geheimstädten die Lösung technischer Probleme vor der ideologischen Inszenierung offenbar klaren Vorrang hatte. Allerdings soll dies nicht heißen, daß
hier Paradeplätze und Lenindenkmäler komplett fehlten; deren Installation

---

[268] Vgl. ebd., S. 23.
[269] Vgl. Zakrytye atomnye goroda Rossii, S. 49, Erren, S. 577. Vgl. weiterhin, zwar auf die
Praxis in der DDR bezogen, deren Ursprünge jedoch mit einbeziehend: H. Häußermann: Von der „sozialistischen" zur „kapitalistischen" Stadt. In: Aus Politik und Zeitgeschichte 45 (1995) 12, S. 3-15, ders.: Von der Stadt im Sozialismus zur Stadt im Kapi-
talismus. In: H. Häußermann / R. Neef (Hrsg.): Stadtentwicklung in Ostdeutschland.
Soziale und räumliche Tendenzen. Opladen 1996, S. 5-47.
[270] Vgl. etwa K. Schlögel: Der „Zentrale Gor'kij-Kultur- und Erholungspark" (CPKiO) in
Moskau. Zur Frage des öffentlichen Raums im Stalinismus. In: M. Hildermeier: Stalinismus vor dem Zweiten Weltkrieg. Neue Wege der Forschung. München 1998, S.
255-274, hier: S. 257-260.

sollte lediglich später, nach Inbetriebnahme der wichtigsten industriellen Anlagen, erfolgen. Den Entwurf der Wohngebiete und städtischen Einrichtungen
um industriellen Anlagen übernahm das Staatliche Spezielle Projektierungsinstitut Nr. 11 (*Gosudarstvennyj special'nyj proektnyj institut*, GSPI № 11) in
Leningrad, eine zentrale Einrichtung, die direkt dem PGU unterstand.[271]

Dabei entsprach die Praxis eines strengen Sicherheits- und Geheimhaltungsregimes kaum den theoretischen Grundlagen der Architektur und des
Städtebaus, die sich die materiellen und administrativ-organisatorischen Ressourcen der bestehenden Machtverhältnisse für die Verwirklichung ihrer professionellen Ziele zunutze machen wollten. Hier wurden die Städtebauer zu
tatsächlichen „Geiseln der staatlichen Losungen".[272] Bei einem erneuten Vergleich mit dem amerikanischen Bombenprojekt offenbaren sich hier zum Teil
erhebliche Unterschiede. So bedeutete der Entwurf der Stadt Oak Ridge einen wahren „Traumauftrag" für eine private, mittelgroße Architekturfirma, die
bislang Aufträge für Flugzeugwerke ausgeführt hatte. Geknüpft an eine einzige Bedingung – die Stadt solle Raum für 30.000 Menschen bieten – bot ihr
der streng geheime Regierungsauftrag die einzigartige Möglichkeit, eine neue
Stadt aus dem Nichts entstehen zu lassen und Wohnhäuser, Krankenhäuser,
Einkaufszentren, Straßen und Gärten nach eigenem Geschmack entwerfen
zu können.[273]

Die Entlohnung der Bewohner des „kleinen Landes" (*malaja zemlja*), wie
die Selbstbezeichnung des geheimen Areals von Arzamas-16 lautete[274], bewegte sich im Vergleich zum „großen Land" (*bol'šaja zemlja*) auf unvergleichbar höherem Niveau. Ein Verordnungsvorschlag, an dem die wissenschaftlichen Leiter Kurčatov und Kikoin beteiligt waren, sah „gegenüber gewöhnlichen Industrieunternehmen erhöhte Lohngehälter" vor.[275] Sacharov nannte
ein Gehalt von 20.000 alten (2000 neuen) Rubel monatlich, was Ende der

---

[271] Vgl. Zakrytye atomnye goroda Rossii, S. 50.

[272] Vgl. ebd., S. 49-50.

[273] Vgl. Groueff: Projekt ohne Gnade, S. 163-164.

[274] Gubarew, S. 12, Al'tšuler.

[275] Vgl. Pis'mo L.P. Berija I.V. Stalinu s predstavleniem na rassmotrenie proekta postanovlenia SM SSSR „O zarabotnoj plate, prodovol'stvennom i promtovarnom snabženii
inženerno-techničeskich i naučnych rabotnikov, rabočich i služaščich zavodov № 817 i
№ 813 Pervogo glavnogo upravlenija pri Sovete Ministrov SSSR", genaues Datum unbekannt (ne pozdnee 21 avgusta 1947 g.) In: Atomnyj proekt SSSR, t. 2, kn. 3, S. 292-
293, hier: S. 292.

1940er Jahre durchaus „ungeheuer hoch" war.[276] Die eigentliche Verordnung des Ministerrats legte keine genauen Grundlohnnormen fest, bestimmte aber, daß den – hier in den Betrieben Nr. 813 und 817 – Beschäftigten ein Zuschlag von zehn Prozent des Gehalts für das erste Jahr und fünf Prozent für jedes weitere Jahr im Unternehmen zusätzlich gezahlt werden sollte.[277] Offenbar erfolgte auch eine Aufstockung der Zulage durch besondere „Regimezulagen", die in besonders wichtigen Sektoren das Doppelte des gewöhnlichen Betrages betragen konnten.[278] Den Beschäftigten wurden in der Anfangsphase in einem Zeitraum von drei Jahren zur Anschaffung der lebensnotwendigsten Dinge Darlehen gewährt, ebenso übernahmen die Betriebe 70 Prozent der Kosten für die Reiseerlaubnis (*putevka*) in Sanatorien und andere Erholungshäuser.[279] Wissenschaftlichen Führungspersönlichkeiten, wie Kurčatov, Kikoin, Arcimovič und Chariton, wurden, inklusive ihrer Familienangehörigen, Plätze in einem luxuriösen Sanatorium in der Nähe von Moskau und eine „qualifiziertere medizinische Behandlung" in der Poliklinik des Kreml' ermöglicht.[280]

Ebenso befand sich die allgemeine medizinische Versorgung in den „Objekten" im allgemeinen in exzellentem Zustand, die vergleichsweise noch kleinen Siedlungen besaßen die medizinische Infrastruktur einer mindestens

---

[276] Vgl. Sacharow, S. 146. Dabei bleiben die genauen Relationen zu heute, bzw. zu der Zeit, als Sacharov seine Memoiren verfasste, unklar. Nach der allgemeinen Senkung der Lebensmittelpreise im April 1952 kostete ein Liter Milch beispielsweise zwei Rubel zwanzig. Vgl. A. Krajuškin / N. Tepcov : Kak snižali ceny v konce 40-ch – načale 50-ch godov i čto ob ètom govoril narod. In: Neizvestnaja Rossija. XX Vek (1992) 2, S. 282-294, hier: S. 285.

[277] Vgl. Postanovlenie SM SSSR № 2937-953ss/op „O zarabotnoj plate, prodovol'stvennom i promtovarnom snabženii inženerno-techničeskich i naučnych rabotnikov, rabočich i služačich zavodov Gosudarstvennogo chimičeskogo i Gosudarstvennogo mašinostroitel'nogo zavoda Pervogo glavnogo upravlenija pri Sovete Ministrov SSSR", 21 avgusta 1947 g. In: Atomnyj proekt SSSR, t. 2, kn. 3, S. 314-316, hier: S. 314-315.

[278] Vgl. Popov, S. 63.

[279] Vgl. Postanovlenie SM SSSR „O zarabotnoj plate..." (FN 276), S. 315.

[280] Vgl. Rasporjaženie SM SSSR № 8059-rs o sanatorno-kurortnom lečenii naučnych rabotnikov institutov i laboratorij, privlečennych k vypolneniju special'nych rabot, 27 ijunja 1947 g. In: Atomnyj proekt SSSR, t. 2, kn. 3, S. 236-239, Pis'mo V.A. Machneva L.P. Berija o medicinskom obsluživanii učenych v kremlevskoj poliklinike s priloženiem spiska učenych, 26 dekabrja 1947 g. In: Atomnyj proekt SSSR, t. 2, kn. 3, S. 754-755.

mittelgroßen Stadt.[281] Anfang der 1950er Jahre gab es in Arzamas-16 bereits zwei Kinos, eine Musikschule, eine Kindersportschule und ein Dramatisches Theater.[282] Die kulturellen Standards standen in keiner Weise denen in der Hauptstadt nach, man engagierte sogar Spitzenensembles aus Moskau und anderen Städten für Festspiele[283], eine Besonderheit, die übrigens auch in den amerikanischen Atomstädten zu beobachten war.[284] So konnte der Bevölkerung der sowjetischen verbotenen Städte mitnichten ein provinzieller Charakter bescheinigt werden; im Gegenteil: Immer wieder wurden die Verhältnisse mit denen in der Hauptstadt verglichen. Die Menschen hier kleideten sich wie Moskauer, kauften dieselben Waren. Dies wurde nicht zuletzt ermöglicht durch ein weiteres wichtiges Privileg: Das in der Stadt zugängliche reichhaltige und ständig aktualisierte Sortiment an Industriewaren, Versorgungsgütern und Lebensmitteln, das die Auswahl des „großen Landes" bei weitem übertraf.[285] Die Lösung der Versorgungsfrage erfolgte teilweise entschieden; für Arzamas-16 wurde ein eigenes Fleischkombinat gebaut, das zu 99 Prozent für das „Objekt" produzierte.[286] Diese ausgesprochene Privilegierung auf den Gebieten der medizinischen Betreuung, des Warensortiments, der soziokulturellen Einrichtungen und des Wohnungsangebots konnte ganz offenbar auch deshalb so zufriedenstellend geregelt werden, weil jegliche Beschwerden sofortige, „operative" Maßnahmen zur Folge hatten und Schuldige ausfindig gemacht wurden.[287]

Interessanter- und auch paradoxerweise standen die geheimen „Objekte" der sowjetischen Atomindustrie in dem Ruf, wahre Sammelorte für Frei- und Querdenker zu sein und das, obwohl jegliche individuelle Äußerung hier emp-

---

[281] Darunter zählten im Fall der Objekte des PGU u.a. Einrichtungen der Hygieneaufsicht, Polikliniken, eine Malariaabteilung (!), kleinere ärztliche Versorgungsstationen (vračebnye zdravpunkty), Stationen zur Kontrolle der Milchqualität, Krankenhäuser und Kinderkrippen. Vgl. Popov, S. 62, Postanovlenie SM SSSR № 2935-951ss „O mediko-sanitarnom obsluživanii predprijatij Pervogo glavnogo upravlenija pri Sovete Ministrov SSSR", 21 avgusta 1947 g. In: Atomnyj proekt SSSR, t. 2, kn. 3, S. 307-311.

[282] Vgl. Popov, S. 62-63.

[283] Vgl. Barwich: Das rote Atom, S. 80.

[284] Vgl. Groueff: Projekt ohne Gnade, S. 280.

[285] Vgl. Popov, S. 19.

[286] Vgl. Gubarew, S. 52-53.

[287] Vgl. Protokol № 86 zasedanija Special'nogo komiteta pri Sovete Ministrov SSSR, 22 oktjabrja 1949 g. In: Atomnyj proekt SSSR, t. 2, kn. 1, S. 393-394.

findlicher registriert wurde als anderswo.[288] Es gibt genügend Hinweise darauf, daß politische Fragen in den „Objekten" viel offener diskutiert wurden als im „großen Land", wissenschaftliche Mitarbeiter konnten sich innerhalb des Kollektivs selbst über das „Kapital" von Marx kritisch äußern, ohne daß ihnen daraus ernsthafte Konsequenzen erwuchsen.[289] Ju.A. Trutnev, ein Schüler von Sacharov und Chariton, fand dafür eine einfach klingende Erklärung, die einer gewissen Logik nicht entbehrt:

> „Wir haben an einem Problem von Staatsbedeutung gearbeitet und deshalb war die Haltung bei uns etwas anders als üblicherweise. Gedankenfreiheit in der Physik ist unweigerlich mit allgemeiner Gedankenfreiheit verbunden, auch mit politischer. Wir haben deshalb weder Angst gehabt noch irgendwelche Rücksichten genommen."[290]

Die von staatlicher Seite angefachte Verteufelung der Einsteinschen Relativitätstheorie, des Prinzips der Quantenmechanik und des „Kosmopolitismus" (ein Schlagwort, das im Zuge der angeblichen „jüdischen Ärzteverschwörung" gegen Stalin 1953 an Bedeutung gewann) wurde in den Kollektiven größtenteils abgelehnt – hier herrschte „saubere Luft".[291] Die Arbeit an einem „Problem von Staatsbedeutung", hieß deshalb für einige mehr Freiheit – und eben auch keine Angst und keine Rücksichten: „Wir wußten sehr wohl, daß unsere Gespräche abgehört wurden, aber wir haben für freimütige Äußerungen keinerlei Strafen bekommen. Es war gestattet, ziemlich ‚unzüchtige' Dinge zu sagen ..."[292] Dieses Phänomen findet einige mögliche Erklärungen: Zunächst wurde eine strenge Auswahl der in Frage kommenden Spezialisten betreffs einer Beschäftigung in den geheimen Instituten getroffen. Als eine Voraussetzung für eine Anstellung im „Objekt" waren zwei Empfehlungsschreiben vorzuweisen, zusätzlich mußte man sich einer aus wissenschaftlichen Experten und Geheimdienstlern bestehenden Auswahlkommission stellen.[293] Die Ergebnisse regelrechter Eignungstests, der Überprüfung der persönli-

---

[288] Chariton spricht von „Schweinehunden" und „Zuträgern" – Berijas Leuten – die im „Objekt" allgegenwärtig gewesen seien, vgl. Gubarew, S. 30, Al'tšuler.
[289] Vgl. Gubarew, S. 85-86 und S. 151-152.
[290] Vgl. ebd., S. 85-86.
[291] Vgl. Al'tšuler.
[292] Zit nach Gubarew, S. 151.
[293] Vgl. Popov, S. 56.

chen Vergangenheit und nicht zuletzt auch die Frage der Nationalität entschieden darüber, wer zu der geheimen Arbeit zugelassen wurde.[294] Es war jedoch undenkbar, eine Reihe von herausragenden Wissenschaftlern, unter ihnen L.V. Al'tšuler, Ju.B. Chariton, Ja.B. Zel'dovič und I.E. Tamm, aufgrund ihrer jüdischen Herkunft aus dem Atomprojekt herauszuhalten. Die verantwortlichen Sicherheitsorgane hatten dabei aber auch für die Auswahl der Spezialisten zu bürgen; wenn sich also herausgestellt hätte, daß von ihnen eine (in politischer und wissenschaftlicher Hinsicht) unzuverlässige Person zur Arbeit zugelassen worden war, hätten sie sich selbst ins Visier Moskaus gebracht.[295] Deshalb machte sich eine gewisse „Narrenfreiheit" bemerkbar, die paradoxerweise nur durch die Grenzen möglich wurden, die sich das strenge Sicherheitsregime selbst auferlegt hatte. Dies galt natürlich nicht für offizielle Auftritte, bei denen die Behörden reagieren mußten. Dennoch gibt es auch hier Fälle, in denen „unbequem" gewordene Personen allein wegen ihrer wissenschaftlichen Unverzichtbarkeit im Bombenprojekt unbehelligt blieben. So genügte es beispielsweise während des Besuches einer Kontrollkommission, die sich unter anderem einen Überblick über den politischen Wissensstand der Ingenieure und Wissenschaftler verschaffen wollte, daß sich Sacharovs Kollege Al'tšuler kritisch gegenüber den Auffassungen Lysenkos äußerte, und innerhalb weniger Tage erfolgte die Anweisung zur Abreise des Wissenschaftlers vom „Objekt". In buchstäblich letzter Minute wurde die Auslieferung durch einen von Kollegen an Zavenjagin gerichteten entschiedenen Appell verhindert.[296] Wenig später erfolgte jedoch die erneute Abberufung Al'tšulers, woraufhin ein Telefongespräch Berijas mit dem wissenschaftlichen Leiter des „Objekts" Chariton stattfand, in dem Berija fragte: „Wird er tatsächlich gebraucht?" Charitons bejahende Antwort bewirkte, daß die Sache „Al'tšuler" endgültig fallengelassen wurde.[297] Chariton selbst war bis 1956 kein Mitglied der KPdSU, was offenbar keinerlei Auswirkungen darauf zeigte, daß er spätestens seit 1945 zu einer der Schlüsselfiguren in der

---

[294] Vgl. V.N. Mikhaylov: I am a hawk. Memoirs of Atomic Energy Minister Mikhaylov. Edinburgh u.a. 1996, S. 5, Zakrytye atomnye goroda Rossii, S. 40-41, Al'tšuler.

[295] Vgl. ebd.

[296] Vgl. ebd., Sacharow: Mein Leben, S. 167-168.

[297] Vgl. Chariton in Gubarew, S. 27, Al'tšuler, Heinemann-Grüder, S. 132.

Entwicklung der sowjetischen Atombombe aufgestiegen war.[298] Offenbar ist eine Erklärung der sowohl materiell als auch ideologisch enormen Privilegierung, daß „die sowjetische Regierung", wenn es um die Verwirklichung von wichtigen technischen Projekten ging, „zunächst einmal die Politik ganz beiseite" ließ. Die Erfahrung hatte seit den Großprojekten der 1930er Jahre deutlich gemacht, „daß man ‚mit der Ideologie keine Kraftwerke baut'."[299]

In der Anfangszeit waren es sicherlich der überdurchschnittlich hohe Verdienst, Regierungsauszeichnungen und andere Privilegien, die die so „angenehme" und „produktive" Arbeitsatmosphäre in den hart arbeitenden Kollektiven erklären, doch nach einigen Jahren änderte sich bei einigen offenbar die „ergebene" Haltung.[300]

Rückblickend wurde gar eine fundamental kritische Einstellung konstatiert: „Was mich angeht, so hatte ich immer Zweifel an der Festigkeit des Fundaments für die Errichtung des Kommunismus. In den letzten zwei Jahrzehnten, die ich außerhalb des ‚Objekts' verlebt habe, sind sie nur noch stärker geworden."[301] Die Besonderheiten der Atomstadt, dieses „souveränen Staates innerhalb des militärisch-industriellen Komplexes, der über eine eigene Staatsgrenze, eigene Grenztruppen und Polizei verfügte, der eine eigene Militärregierung hatte und den Bürgern einen Sonderstatus und Sonderverpflegung zubilligte und in dem eine eigene Psychologie herrschte"[302] lassen die verbotenen Städte wie eine Art „Goldenen Käfig" erscheinen; in dieser „Symbiose aus einem supermodernen Forschungsinstitut, Versuchsbetrieben, Versuchsfeldern und einem großen Lager" lebten und arbeiteten die sowjetischen Spezialisten, „als ob der Krieg 1945 nicht beendet worden wäre"[303], praktisch als kasernierte „Soldat[en] dieses, des naturwissenschaftlich-technischen Krieges".[304]

Eingangs wurde erwähnt, daß sich Sacharov in seinen Memoiren weigerte, auf bestimmte Einzelheiten seiner Arbeit im „Objekt" einzugehen. Das Festhalten an diesen strengen Berufskodex der Atomspezialisten, selbst nach ei-

---

[298] Vgl. Holloway: Stalin and the Bomb, S. 449.
[299] Vgl. Barwich: Das rote Atom, S. 86.
[300] Sacharow: Mein Leben, S. 145.
[301] Al'tšuler.
[302] Trutanow, S. 31-32.
[303] Osipov.
[304] Vgl. Sacharow: Mein Leben, S. 122 und S. 141.

ner offensichtlichen Veränderung der innen- und weltpolitischen Lage Details der eigenen Arbeit nicht zu erwähnen, sollte sich lange fortsetzen. Hier deutet sich jedoch an, daß beruflicher Enthusiasmus und ideologische Überzeugungen nicht unmittelbar voneinander abhängen müssen, daß also beispielsweise Sacharov zu konkreten und teilweise brisanten Problemen der Atomphysik schwieg, nicht etwa weil er ein überzeugter Verfechter der ideologisch durchdrungenen sowjetischen Geheimhaltungspraxis, sondern vielmehr weil er ein sich seiner Verantwortung bewußter Atomphysiker war. Gleichwohl half das Schweigen natürlich auch, unbequeme Situationen zu vermeiden; wenn etwa nach der bei den meisten Wissenschaftlern beobachteten Euphorie und dem Enthusiasmus während der Arbeit an einer der schrecklichsten Waffen der Menschheit gefragt wurde. Diese Fragen wurden ab den Jahren der *perestrojka* vielfach gestellt.

Die Wissenschaftler jedoch, die zu reden bereit waren, beeilten sich zumeist mit einer Rechtfertigung ihrer Beteiligung an der Atomwaffe. Sie erklärten, daß es für die Verteidigung der Sowjetunion und für ein „friedliches Gleichgewicht" schlichtweg unabdingbar gewesen sei, das Atombombenmonopol der USA zu brechen.[305] Obgleich allen Beteiligten die mit einer derart gewaltigen Waffe verbundene Verantwortung zweifelsohne bewußt gewesen sei, habe auch eine wichtige Rolle gespielt, daß es sich bei dieser Aufgabe „um etwas ganz Neues und folglich Hochinteressantes", eine echte Herausforderung, gehandelt habe und dadurch ideologische Vorgaben und Zielsetzungen durch das wissenschaftliche Interesse vielfach in den Hintergrund gedrängt worden seien.[306] Allerdings, so räumt Sacharov ein, sei die Begeisterung für diese neue Aufgabe nicht das Entscheidendste gewesen: „das Wichtigste war für mich und (...) die anderen Gruppenmitglieder die innere Überzeugung, daß diese Arbeit *notwendig* war."[307] Schließlich sei der Beitrag der militärischen Forschung auch für die friedliche Nutzung der Atomenergie nicht zu unterschätzen, die Atomenergetik sei immerhin „der Hauptweg für

---

[305] Vgl. Gubarew, S. 30
[306] Vgl. ebd., S. 26-27. Der Chefkonstrukteur von Arzamas-16, S.N. Voronin, äußerte auf die Frage, ob er seine Zeit im „Objekt" bereue: „Wissen Sie, nein! ... Wo sonst hätte ich eine interessantere und spannendere Arbeit gefunden? Wahrscheinlich nirgendwo. Unsere Arbeit ist ungewöhnlich, untypisch. Und wo hätte ich die Möglichkeit gehabt, so vielen hervorragenden Menschen zu begegnen?!" Zit. nach Gubarew, S. 109.
[307] Sacharov: Mein Leben, S. 122 (Hervorhebung im Original).

die Entwicklung der Menschheit".[308] Immer wieder wurde auch dem eigenen
Stolz auf das Erreichte, auf die Eigenständigkeit der sowjetischen Atomforschung Ausdruck verliehen.[309] So habe man sich in der Anfangszeit zwar un-
bestreitbar an den Spionagedokumenten über die amerikanische Atombombe
orientiert, sei jedoch nach der ersten eigenen Bombe zu selbständiger Forschung übergegangen und sei schließlich den Amerikanern in der Entwicklung der Wasserstoffbombe gar um einiges voraus gewesen.[310] Das lange
unter Verschluß gehaltene Schicksal der Sträflinge, die unter harten Bedingungen auf den Baustellen der Atomindustrie arbeiteten und nach Beendigung der Arbeiten zur Wahrung des Geheimnisses in großer Zahl in weit ent-
legene Gebiete verbannt wurden, dürfte eine der dunkelsten Seiten des sowjetischen Atomprojekts darstellen. Eine Beteiligung von Sträflingen am
Großprojekt Atombombe zu leugnen, ist heute nicht mehr möglich; offenbar
droht sie allerdings in den Augen einiger Wissenschaftler, den ruhmvollen Errungenschaften der sowjetischen Atomforschung einen bitteren Beige-
schmack zu geben: „Das ist ein tragisches Kapitel unserer Geschichte, unser
aller, ohne Ausnahme. Das muß man wissen, das muß man im Gedächtnis
behalten, aber man darf es nicht breittreten ..."[311]

Selbstverständlich konnte die plötzliche Abriegelung ganzer Großgebiete,
vor allem die enorme Bautätigkeit vor den Bewohnern der angrenzenden Gebiete nicht verheimlicht werden. Die Errichtung der „Zone" wurde von der
ausgegrenzten Bevölkerung neugierig kommentiert, gleichwohl sich an deren
Platz in den meisten Fällen bereits gesperrte Bereiche wie Gefangenenlager
oder kriegswichtige Betriebe befunden hatten und die „Gesperrtheit" demnach an sich nichts Neues war. Dennoch war bei diesen „Objekten" der Umfang des Bauaufwands und der Grad der Abgeschirmtheit derart hoch, daß
es sich um etwas Besonderes handeln mußte. Die Bauern der (ausgeschlos-
senen) umliegenden Dörfer fanden für den Stacheldraht eine ebenso einfache, wie verblüffende Erklärung: Hier handele es sich wohl um einen Versuch
der Regierung, in abgeschlossener und ungestörter Atmosphäre einen
„Kommunismus auf Probe", eine „experimentelle kommunistische Gesell-

---

[308] Zit. nach Gubarew, S. 39
[309] Vgl. ebd., S. 159.
[310] Vgl. ebd., S. 45.
[311] Zit. nach ebd., S. 91.

schaft" einzuführen.[312] Dieser Aspekt, die Chance auf einen „Probekommunismus" in der von einer unbesehen großen Kluft zwischen ideologischem (Partei-)Anspruch und der sozialistischen Wirklichkeit geprägten sowjetischen Gesellschaft, dürfte den Verantwortlichen des Atomprojekts, wenn überhaupt, erst spät bewußt geworden zu sein. Zunächst wurde vollkommen pragmatisch gedacht und agiert: Nur zufriedene und gut bewachte Spezialisten konnten innerhalb kürzester Zeit die enorme Aufgabe des Atombombenbaus und damit die Überwindung des amerikanischen Nuklearmonopols bewältigen. Daß man mit den dazu notwendigen Maßnahmen jedoch Bedingungen schuf, die den Atomstädten später wiederholt den Ruf als „Reservate des entwickelten Sozialismus", einer „Sowjetunion im Kleinen" einbrachten, offenbarte sich – eine Ironie der Geschichte – erst mit dem Zusammenbruch der Sowjetunion.[313]

Zu den obersten Prämissen des sowjetischen Atombombenprojekts zählte Zeitersparnis um jeden Preis, um den Rückstand auf die Amerikaner aufzuholen. Dabei wurde ganz offensichtlich alles kopiert, was die Spionagematerialien hergaben: Vom Aufbau und der Anordnung der industriellen Anlagen bis hin zu Art und Form der Wohnhäuser; von den strengen Sicherheitsvorkehrungen, die aus jedem Spezialisten den Verzicht auf viele Freiheiten abverlangte, bis hin zu besonderen Privilegien, die für die in jeglicher Hinsicht entbehrungsreiche Arbeit entschädigen sollten. Dabei dürften viele dieser Maßnahmen der inneren Logik eines mit einem Geheimhaltungsregime belasteten Atomprojekts entsprechen. Selbst wenn sich das amerikanische und das sowjetische Vorhaben unabhängig voneinander entwickelt hätten, wäre beispielsweise Abgeschiedenheit doch mit Sicherheit stets eine Grundvoraussetzung für den Bau von atomaren Anlagen geblieben.[314] Spezifische Eigenheiten lassen sich dennoch auf beiden Seiten ausmachen. Wenngleich auch auf die amerikanischen Spezialisten Druck ausgeübt wurde, so geschah dies allumfassend doch nur in der Entwicklungszeit der Bombe. Wenn auch die Errichtung der geheimen Produktionsstätten im Prinzip streng geheim

---

[312] Vgl. ebd., S. 141, Trutanow, S. 83-84.
[313] Vgl. Lappo / Poljan, S. 21.
[314] Vgl. C. Abbott: Building the Atomic Cities. Richland, Los Alamos, and the American Planning Language. In: B. Hevly / J.M. Findlay (eds.): The Atomic West. Seattle / Washington / London 1998, S. 90-115, hier: S. 90-91.

war, so hatte die Beteiligung von einigen zehntausend zivilen Arbeitskräften eine gewisse „Offenheit" der verbotenen „Objekte" zur Folge. Das sowjetische Atomprojekt hingegen stützte sich auf die Arbeitskraft von Militär und Sträflingen und schuf damit eine Konstellation, die die Aufrechterhaltung des Geheimhaltungsregimes optimierte. Der Druck auf die Wissenschaftler war in der Zeit bis zur erfolgreichen Zündung der Atombombe verständlicherweise am größten, setzte sich jedoch auch in der Folgezeit fort. Druck und Privilegien formten zusammen kleine Inseln innerhalb der Sowjetunion, die in ihrem Charakter als ideal funktionierende Städte durchaus als „Reservate des entwickelten Sozialismus" bezeichnet werden können. Dennoch ließen sie – gerade durch diesen Reservatcharakter – Raum für ideologisch kritische Einstellungen, „Nutzen und Notwendigkeit setzten das Dogma partiell außer Kraft."[315]

---

[315] M. Hildermeier: Geschichte der Sowjetunion 1917-1991. Entstehung und Niedergang des ersten sozialistischen Staates. München 1998, S. 668.

4. Ausblick: Geschlossene Stadt in offener Gesellschaft

„Much of Russia's nuclear, biological, and chemical
weapons and materials are poorly secured;
its weapons scientists and guards are poorly paid.
We can't risk a world where a Russian scientist can
take care of his children only by endangering ours."

(Sam Nunn, ehemaliger US-Senator)

4.1. Aktuelle Probleme

Die allgemeine Entspannung in den internationalen Beziehungen und schließlich das mit dem Zusammenbruch der Sowjetunion besiegelte Ende des „Kalten Krieges" selbst, war in den Augen der Bevölkerung geheimer „Objekte" zweifelsohne ein folgenschwerer Prozeß. Bereits 1987 erfolgte eine teilweise Enttarnung „verbotener" Städte im Rahmen des Abkommens über die Begrenzung unterirdischer Atombombenversuche mit dem langjährigen Großgegner USA. Spätestens seit dem Jahr 1990 wurde die enorme Bedeutungsabnahme des Verteidigungssektors deutlich, denn die staatlichen Aufwendungen besonders für den Atomwaffenbereich sanken stetig.[316] Dabei kam es seit Anfang der 1990er Jahre zu drastischen Gehaltskürzungen, immer häufiger konnten Löhne nicht mehr rechtzeitig ausgezahlt werden. Im Frühjahr 1997 verzögerten sich die meisten Zahlungen um sieben Monate,

---

[316] Vgl. Zakrytye atomnye goroda Rossii, S. 10. Die staatlichen Ausgaben für den Atomsektor sind bis 1999 im Vergleich zu 1990 um mindestens 15 Prozent gesunken, vgl. F. von Hippel: Perspectives. The Bulletin of the Atomic Scientists, November / Dezember 2000, S. 21-23. Internetversion: http://www.thebulletin.org/issues/2000/nd00/nd00vonhippel.html (24.06.2003), Brock: The ZATO Archipelago Revisited, S. 1356.

Mitte 1999 verbesserte sich die Situation auf durchschnittlich zwei Monate Rückstand.[317]

Mit rapider Geschwindigkeit verlor der jahrelange Enthusiasmus der hochspezialisierten Wissenschaftler und Ingeniere für den Aufbau des „atomaren Schutzschildes der Heimat" seine Bedeutung. Beunruhigend wirkte dabei die Tatsache, daß diese Arbeitskräfte angesichts des fortschreitenden wirtschaftlichen Niedergangs ihres Landes gegenüber den Menschen der „Außenwelt" einen entscheidenden Vorteil besaßen: Sie verfügten über die Fähigkeiten und die Ausrüstung für den Bau von nuklearen Waffen.[318] Es konnte zwar, trotz diverser Fälle von Atomschmuggel in den letzten Jahren, nicht nachgewiesen werden, daß nukleare Schwellenländer oder terroristische Gruppen direkt von den wachsenden Problemen in den russischen Atomstädten profitiert haben, zumal die Erbringung der Gesamtheit des finanziellen, materiellen und wissenschaftlichen Aufwands für die Konstruktion selbst von funktionstüchtigen Atombomben im Kleinformat (*suitcase nukes*) durch derartige Akteure unwahrscheinlich ist.[319] Jedoch ist die allzu deutlich demonstrierte Sorglosigkeit bedenklich. Immer wieder versichern nämlich in den Atomstädten verbliebene russische Wissenschaftler, daß eine, von verbitterten Spezialisten verursachte, konkrete Bedrohung durch nukleare Proliferation vor allem deshalb nicht gegeben sei, weil die hohen Sicherheitsstandards und der klare moralische Kodex' ehemals sowjetischer Atomspezialisten derartige Szenarien unwahrscheinlich werden ließen.[320] Zudem stelle die hohe Professionalität der Atomspezialisten eine Art Sicherheitsbarriere dar, wie ein russischer Wissenschaftler einem ausländischen Gast glaubhaft machen wollte; „je mehr man weiß, desto geringer ist die Furcht auch vor der Zukunft."[321]

Die eigentliche Gefahr besteht hingegen nicht in spektakulären Einzelaktionen, in denen einige Gramm radioaktiven Materials den Besitzer wechseln,

---

[317] Vgl. Weiner, S. 133, Gubarew, S. 70.

[318] Vgl. Weiner, S. 135.

[319] Vgl. ebd., H. Müller: Nuklearschmuggel und Terrorismus mit Kernwaffen. In: K.R. Spillmann (Hrsg.): Zeitgeschichtliche Hintergründe aktueller Konflikte VI - Vortragsreihe Sommersemester 1997. (= Zürcher Beiträge zur Sicherheitspolitik und Konfliktforschung 44) Zürich 1997. Internetversion: http://www.fsk.ethz.ch/documents/beitraege/ zu_44/zu44_08.htm, 01.12.2003

[320] Vgl. Gubarew, S. 87 u. S. 117-118.

[321] Osipov.

sondern sie offenbart sich schleichend. Ein Schrumpfen des wissenschaftlich-
technischen Potentials (*utečka umov / brain drain*) in den russischen Atomstädten vollzieht sich in drei unterschiedlichen Formen: Erstens durch die Arbeitslosigkeit junger, hochqualifizierter Spezialisten, zweitens durch die Be-
deutungszunahme von Nebentätigkeiten, die einen finanziellen Hinzuver-
dienst bedeuten und die Hauptarbeitsstellen immer mehr in den Hintergrund
drängen, und drittens durch direktes Abwandern von früheren Spezialisten in
den kommerziellen Sektor, zu eigenen Geschäften (*sobstvennyj biznes*). So
ist in den letzten Jahren ein stetiges Schrumpfen der wissenschaftlichen Ka-
der und damit ein steigendes Altern der Arbeitskollektive – immer mehr Spezialisten sind 40 Jahre und älter – zu beobachten, hervorgerufen durch das
ausbleibende Nachrücken von ambitioniertem wissenschaftlichem Nachwuchs.[322] Grund dafür ist das schwindende Prestige der mit der Kernforschung verbundenen Berufszweige. Die Ausbildung der Kernspezialisten erfolgt selbst nach dem Zerfall der Sowjetunion noch immer nahezu ausschließlich – zu 95 Prozent – auf dem Gebiet der Russischen Föderation. Dabei ist,
durch eine Reihe von unterschiedlichen Faktoren (Verteuerung von Trans-
portkosten, von Preisen für das Wohnen, für Lebensmittel und für Ausbildung
vor allem in den Großstädten des europäischen Rußlands) bedingt, eine Bedeutungsabnahme hauptstädtischer Hochschuleinrichtungen und eine steigende Attraktivität „peripher" gelegener Einrichtungen für die Ausbildung der
Spezialisten zu beobachten. Immer häufiger erfolgt das Studium in den
Atomstädten und den angeschlossenen Instituten selbst. Damit geht eine
Verschlechterung des Rufes dieser Art von Berufsausbildung einher, entweder erfolgt eine Abwanderung der besten Studenten ins Ausland oder die Absolventen suchen sich aufgrund der niedrigen Löhne Arbeit in branchenfrem-
den Bereichen.[323] Im Unterschied zum übrigen Rußland ist der Anteil an 22-
bis 29-Jährigen mit mittlerer und höherer Spezialausbildung in den Atomstädten entschieden höher – diese Orte entwickeln sich offenbar immer mehr
zu „Reservaten ungenutzten intellektuellen Potentials".[324] Daher stellt sich die
Frage nach dem Angebot des Arbeitsmarkts in den Atomstädten, der jedoch
kaum echte Alternativen zu bieten scheint. Obwohl in den geschlossenen

---

[322] Vgl. Tichonov, S. 9-11, Zakrytye atomnye goroda, S. 41.
[323] Vgl. Tichonov, S. 9.
[324] Vgl. ebd., S. 14-15 und S. 18.

Städten, im Vergleich zum übrigen Rußland, der Prozeß der Formierung von nichtstaatlichen Unternehmen prozentual gesehen aktiver verläuft, reichen die unternehmerischen Initiativen kaum über ein bescheidenes Maß hinaus. Dies hat seine Ursachen vor allem im besonderen (geschlossenen) Status der Atomstädte, der die Grundvoraussetzungen für privates Unternehmertum – etwa eine maximale Offenheit in jeglicher Hinsicht, größtmögliche Freiheit vor administrativen Eingriffen und Beschränkungen sowie ein freies Zirkulieren von Waren und Kapital – gar nicht oder allenfalls in geringem Maße gewährleisten kann. Daher waren in den geschlossenen Städten lange Zeit auch keine Unternehmen mit ausländischer Beteiligung zu beobachten, von einigen vereinzelten, zeitlich begrenzten Projekten mit ausländischen Firmen einmal abgesehen.[325]

Ein hauptsächlicher Grund für die rasch steigende Arbeitslosigkeit in den russischen Atomstädten ist die Transformation (*konversija*) im Zusammenhang mit dem Zerfall der Sowjetunion und der militärischen Entspannung in den internationalen Beziehungen. Die unüberlegten Kürzungen der Aufträge der Verteidigungsindustrie, die keine entsprechende Restrukturierung der Produktion nach sich zogen, sind Ausdruck einer *„konversija po-russkij"*, die keinem ernsthaft überlegten Konzept entsprach. Eine Folge dessen ist eine häufig äußerst negative Einstellung der arbeitslosen, aber auch der arbeitenden Bevölkerung in den geschlossenen Städten gegenüber einer Konversion der Betriebe und wohl auch der Transformation der Atomstädte im allgemeinen.[326] Die halbherzige Konversion, bei der die Produktion von einfachen Massenkonsumgütern die Forschung an hochkomplizierten wissenschaftlichen Produkten in den Hintergrund drängte, bewirkte auch ein Gefühl des Überflüssigseins bei den hochqualifizierten Experten.[327] Die Haltung zur eigenen Arbeit begann sich bei vielen Spezialisten zu ändern; bei einer Umfrage

---

[325] Die französische Firma COGEMA (*Compagnie Générale des Matiéres Nucléaires*) schloß 1991 einen auf zunächst zehn Jahre begrenzten Vertrag mit dem Sibirischen Chemiekombinat (SChK), dem dominierenden Nuklearunternehmen in Seversk. Dabei verpflichtete sich das Kombinat zur Anreicherung von 500 Tonnen radioaktiven Abfallmaterials aus französischen Kernkraftwerken und erhielt im Gegenzug eine Summe von rund 50 Mio. US-Dollar. Vgl. http://www.bellona.no/en/international/russia/nuke_industry/siberia/wp_4-1995/8224.html (10.12.2003).

[326] Vgl. ebd. S. 17-18.

[327] Vgl. Lappo / Poljan, S. 22.

1992 empfanden noch 20 Prozent der befragten Wissenschaftler Stolz im Hinblick auf ihre Arbeit, 1995 konnten dies nur noch 15 Prozent der Befragten von sich behaupten.[328]

Das unübersehbare Schwinden wissenschaftlichen Potentials erfolgt vor allem aus zwei Gründen: Zum einen werden Spezialisten infolge drastischer Personalkürzungen arbeitslos oder sie verlassen, zum anderen, ihre Arbeitsstelle, weil die niedrigen Löhne hier einen viel geringeren Anreiz bieten als eine Aufgabe im nichtstaatlichen Bereich. Dabei stammen die erwähnten Nebeneinkünfte aus Bereichen, die nicht unbedingt mit der Hauptarbeit in Verbindung stehen müssen. Wenn es um die Möglichkeiten für Hinzuverdienste in den geschlossenen Städten im außerstaatlichen (kommerziellen) Sektor besser stünde, würde die Abwanderung aus den staatlichen Betrieben um ein Vielfaches schneller verlaufen. Die Befragung ergab auch, daß die Familien von Spezialisten angeblich größtenteils an der Armutsgrenze leben, der Pro-Kopf-Durchschnittsverdienst entspreche etwa dem Niveau des Existenzminimums in Rußland.[329] In Bezug auf die Löhne vor der *perestrojka* ist eine gewisse Nostalgie zu beobachten, als realen und gerechten monatlichen Lohn stellen sich die Befragten einen Betrag von umgerechnet etwa 400 US-Dollar vor, etwa das Fünffache ihres tatsächlichen Lohnes.[330] Diese Angaben dürften jedoch ein allzu negatives Bild zeichnen, das nicht vollkommen den Tatsachen entsprechen muß. Zwar sind die Zeiten der „ungeheuer" hohen Verdienste, wie von Sacharov beschrieben, vorbei, von „Armut" kann jedoch nicht die Rede sein, allenfalls kommt den Befragten die Höhe ihrer jetzigen Löhne im Vergleich zur oft nostalgisch betrachteten Vergangenheit „armselig" vor. Der Verdienst der Atomspezialisten entspricht sicherlich kaum noch ihrer hohen Qualifikation, die Löhne erweisen sich als nicht unbedingt höher, aber auch nicht als niedriger im Vergleich zu anderen, zivilen Bereichen der „Außenwelt".[331] Zudem differieren die durchschnittlichen monatlichen Lohnbeträge zwischen den einzelnen Atomstädten heute teilweise gewaltig, so daß von einer generellen Situation die Löhne betreffend nicht gesprochen werden kann. Dabei rangieren die höchsten durchschnittlichen Monatsgehälter zwi-

---

[328] Vgl. Tichonov, S. 4.
[329] Vgl. ebd., S. 26.
[330] Vgl. ebd., S. 25.
[331] Vgl. Lappo / Poljan, S. 21.

schen 160 und 220 US-Dollar und die niedrigsten zwischen 37,8 und 96 US-Dollar.

Unternehmen / Ort	Durchschnittl. Monatsverdienst, in US-$ (1999)[332]
Ėlektrochimpribor / Lesnoj (Sverdlovsk-45)	96
PO START / Zarečnyj (Penza-19)	37, 8
Gerätebaubetrieb / Trechgornyj (Zlatoust-36)	88
Sibirisches Chemiekombinat / Seversk (Tomsk-7)	160
AVANGARD / Sarov (Arzamas-16)	88
Uraler Elektrochemiewerk / Novoural'sk (Sverdlovsk-44)	220

Dabei sehen sich die Wissenschaftler und Ingenieure zusehends in die Enge getrieben, weil ihre extreme Spezialisierung und Überqualifizierung – etwa jeder vierte im Atombereich Beschäftigte besitzt einen Doktortitel[333] – die Möglichkeiten für eine Verwendung über die Grenzen von geschlossenen Städten hinaus enorm vermindert. Die Teuerung von Umzugskosten und die

---

[332] (Unvollständige) Angaben nach O. Bukharin / F. von Hippel / S.K. Weiner: Conversion and Job Creation in Russia's Closed Nuclear Cities. An Update, based on a Workshop held in Obninsk, Russia, June 27-29, 2000. Princeton 2000, S. 79. http://www. princeton.edu/~globsec/publications/pdf/obninsk1.pdf (05.12.2003). Osipov gibt für Seversk einen durchschnittlichen Monatslohn von umgerechnet 200 US-Dollar an, vgl. Osipov.

[333] Vgl. Tichonov, S. 5.

hohen Preise auf dem Wohnungsmarkt der „Außenwelt" machen zudem einen Weggang aus der geschlossenen Stadt zu keiner leichten Aufgabe, so daß im Prinzip nur zwei Perspektiven übrig bleiben: Ein Hierbleiben oder ein Wahrnehmen von Angeboten aus dem Ausland.[334]

Das russische Atomministerium *Minatom* versicherte wiederholt, daß die allgemeine Situation in den geschlossenen Städten unter Kontrolle sei, wobei sicherlich die allgegenwärtige Aufsicht durch den russischen Geheimdienst FSB gemeint ist. Den auf lange Sicht hin zuverlässigsten „Kontrolleur" für Nuklearschmuggel dürften jedoch zufriedenstellende Löhne und eine in der Gesellschaft anerkannte und nützliche Arbeit darstellen. Dieser Kontrollmechanismus allerdings fehlt an den meisten Stellen. Eine konsequente Transformation auch der geschlossenen russischen Atomstädte gestaltet sich wegen des Fehlens griffiger Konzepte relativ schwierig, zudem kann sie auch deshalb nicht ohne weiteres in Angriff genommen werden, weil geschlossene Städte sich in einigen Punkten von typischen städtischen Gebilden enorm unterscheiden.[335] Einer dieser Aspekte ist etwa die Tatsache, daß Territorium und Grenzen einer geschlossenen Stadt durch das besondere Regime für ein ungefährdetes Funktionieren der brisanten Einrichtungen ebenso bestimmt werden, wie von der allgemeinen Entwicklungsdynamik des Siedlungsgebietes. Dabei müssen die Grenzen nicht mit den Grenzen der Föderationssubjekte (Autonome Republiken, autonome Gebiete u.ä.) und der unterschiedlichen Bezirke der Russischen Föderation übereinstimmen. Folglich müssen mitunter alle territorialen Fragen der geschlossenen Stadt durch gemeinsame Entscheidungen zwischen den föderativen Behörden, den Verwaltungsorganen des betreffenden Föderationssubjekts und den Organen der örtlichen Selbstverwaltung geregelt werden.[336]

Es lassen sich im ganzen acht Punkte finden, die die wirtschaftliche Besonderheit geschlossener Städte ausmachen:

---

[334] Vgl. ebd., S. 3-4.

[335] Vgl. Zakrytye atomye goroda Rossii, S. 15-17.

[336] Bis zum gegenwärtigen Zeitpunkt sind die Grenzen der Stadt Ozersk (Čeljabinsk-65) nicht bestätigt, weil sich ihr Territorium auf dem Gebiet dreier verschiedener Bezirke und Städte befindet. Ein Ergebnis langwieriger Debatten ist die von den Nachbarn an das *Minatom* gestellte Kompensationsforderung von einer Milliarde Rubel für den Verlust des jeweiligen Territoriums. Vgl. Zakrytye atomnye goroda Rossii, S. 15-16.

- Erstens ist die Hauptbesonderheit im Funktionieren der Atomstädte ihr geringer Grad der wirtschaftlichen Auffächerung. Die hohe Abhängigkeit der ökonomischen Entwicklung von ein bis zwei Unternehmen des Atomwaffen- und Nuklearbrennstoffkomplexes führt zu einer schwachen Empfänglichkeit der städtischen Wirtschaft für ernsthafte strukturelle Umwandlungen und damit zu einer fehlenden Vielfalt im Bereich des Arbeitsangebotes.

- Zweitens besteht ein bedeutendes Übergewicht an staatlichem Eigentum innerhalb der wirtschaftlichen Strukturen der ZATO.

- Drittens charakterisiert die technologische Struktur der Wirtschaft einer Atomstadt einen hohen Entwicklungsgrad. Hier beginnen sich neue Hochtechnologiezweige mit größerer Wahrscheinlichkeit zu formieren, als in anderen Städten. Es kann davon ausgegangen werden, daß die wirtschaftliche Struktur einer geschlossenen Stadt grundsätzlich empfänglich ist für Innovationen.

- Viertens erschwert das Vorhandensein von Bewegungseinschränkungen für Bevölkerung, Waren, Informationen und ähnlichem die Formierung neuer Funktionen, unter anderem solcher, die sich in anderen Städten im Zusammenhang mit der Befriedigung der Bedürfnisse der Bewohnerschaft entwickeln.

- Fünftens besteht eine tiefe Abhängigkeit eines Großteils der Unternehmen einer geschlossenen Stadt von der äußeren Konjunktur und den Handlungen der föderalen Machtorgane.

- Sechstens ist die grundsätzliche Priorität und erhöhte Wichtigkeit der Unternehmen des Basissektors (der stadtbestimmenden Unternehmen) für die Atomstadt zu beobachten.

- Siebtens führte die Fixierung auf einen qualitativ hohen Lebensstandart in den geschlossenen Städten dazu, daß hier der Dienstleistungssektor höher entwickelt ist, als durchschnittlich in der gesamten Russischen Föderation.

- Achtens werden die politischen Mechanismen in einer Atomstadt, die Zusammensetzung der örtlichen Behörden und der Prozeß des Fällens administrativer Entscheidungen außerordentlich stark durch die wirtschaftliche Monospezialisierung beeinflußt.[337]

Ein weiterer Problempunkt offenbart sich bei einem Blick auf den Lebensstil der Bewohnerschaft: Die strenge Wahrung der Geheimhaltung führte bei der Bevölkerung zu dem Eindruck, in einem abgeschlossenen und zurückgezogenen Raum zu leben, in dem jeder Schritt und jedes Wort kontrolliert wurden. Dies förderte die Herausbildung gemeinsamer Charakterzüge und Verhaltensmuster, zudem einen gewissen Anspruch auf materielle und soziale Exklusivität (*isključitel'nost'*) und Autarkie (*samodostatočnost'*). Dabei gewöhnte sich der Großteil der Bewohnerschaft, besonders die ältere und mittlere Generation, derart an die besonderen Bedingungen der administrativ-territorialen Geschlossenheit, daß sie auch (oder gerade) heute damit keinerlei Unbequemlichkeiten verbindet.[338] Es entwickelte sich ein Wertkonservatismus, der die meisten Bewohner geschlossener Städte nahezu allen Veränderungen ablehnend gegenüberstehen läßt. Obwohl sich auch in den wohlbehüteten „Objekten" der Kernforschung schon vor ihrer Enttarnung Phänomene wie Jugendkriminalität, Rauschgift- und Alkoholmißbrauch beobachten ließen, bedeutet die Beibehaltung der Geschlossenheit und ein Bleiben in der Stadt für die meisten Schutz und Rückzug vor den zunehmenden kriminellen Auswüchsen der „Außenwelt".[339] Als die Bewohner Seversks während einer Umfrage gebeten wurden, ihre Situation selbst einzuschätzen, traten eigenwillige Ergebnisse zutage: Zu den am häufigsten genannten Problemen zählen die Unzufriedenheit mit der Höhe des eigenen Lebensniveaus, mit der allgemeinen Wohnsituation und die Sorge um die Zukunft der eigenen Kinder und Jugendlichen.[340] Dabei lehnten knapp drei Viertel der Befragten die Op-

---

[337] Vgl. ebd., S. 60-79.
[338] Vgl. ebd., S. 47.
[339] Vgl. Trutanow, S. 45, Weiner, S. 133.
[340] Vgl. Umfrage Seversk, S. 26.

tion ab, den Wohnort in eine andere Stadt zu wechseln und knapp die Hälfte sagte aus, daß die Probleme im allgemeinen im nahegelegenen Tomsk entschieden größer seien.[341] Einige dieser Aspekte, und darunter fallen auch die besondere Bedeutung der Pensionäre in der Stadt – 26 Prozent der Bevölkerung Seversks sind über 50 Jahre alt – sowie die Tatsache, daß das grenzähnliche Paßregime der Stadt als Problem praktisch nicht wahrgenommen wird, lassen eine geschlossene Atomstadt als einen besonderen Ort im Hinblick auf seine sozialen Eigenheiten hervortreten. Die Zahl von 94 Prozent der Befragten, die in der Umfrage für eine Beibehaltung des geschlossenen Charakters der Stadt ablehnen, sind in gewisser Weise nachvollziehbar. Eine abrupte Öffnung von Atomstädten würde zwar zur Vereinfachung des komplizierten administrativen Gebildesystems der Russischen Föderation beitragen und politische Transformationsprozesse in den von wertkonservativer Haltung geprägten Städten beschleunigen helfen, könnte andererseits aber auch das befürchtete soziale und sicherheitstechnische Chaos durch wurzellos gewordene Wissenschaftler hervorrufen.

---

[341] Vgl. ebd., S. 5.

4.2. Lösungsansätze

Seit einiger Zeit hat sich im offiziellen Umgang mit Atomstädten ein Strategiewandel bemerkbar gemacht. Es wurde erkannt, daß ein Großteil der bestehenden Probleme nur durch eine mindestens schrittweise Öffnung der Atomstädte – unter Beibehaltung des geschlossenen Charakters der wichtigsten industriellen Anlagen, wie dies etwa in Westeuropa üblich ist[342] – bewerkstelligt werden kann. So ist in der letzten Zeit infolge eine wachsenden Zusammenarbeit mit auswärtigen Firmen die Präsenz ausländischen Kapitals zu beobachten. Das Uraler Elektrochemiekombinat in Novoural'sk (Sverdlovsk-44) liefert schwachangereichertes Uran an Großbritannien, Frankreich, Deutschland, Schweden, Finnland und Spanien. Zelenogorsk (Krasnojarsk-45) produziert in Zusammenarbeit mit der deutschen Firma BASF Audiokassetten.[343] Weiterhin ist – ebenfalls ein Novum – eine Zusammenarbeit zwischen einzelnen Atomstädten zu beobachten: In Lesnoj (Sverdlovsk-45) übernahm das Kombinat „Ėlektrochimpribor" zusammen mit dem Gerätebaubetrieb „Start" der Stadt Zarečnyj (Pensa-19) die Produktion von Mikroelektronik- und Vakuumgeräten sowie von Farbfernsehern. In Snežinsk (Čeljabinsk-70) werden Sonnenkollektoren, komplexe medizinische Geräte, elektrische Gebrauchsgegenstände für den Haushalt, Sportgeräte und andere Konsumgüter hergestellt. Diese Umstellung und die damit verbundenen Investitionen entsprechen allerdings offenbar noch nicht den allgemeinen örtlichen Erfordernissen.[344] Zudem dürfte die Umstellung der Produktion von hochgeheimen, staatswichtigen Erzeugnissen auf Güter des Massenbedarfs auf nicht wenige Wissenschaftler und Ingenieure frustrierend wirken, schwächt dies doch ihren Ruf als wissenschaftlich-technische Elite des Landes erheblich.

Aktuell bestehen noch andere – weniger zwangsläufig mit einem „Ehrverlust" bei den Atomspezialisten verbundene – Möglichkeiten der Problemkompensation für die russischen Atomstädte. Eine davon ist eine Umwandlung in

---

[342] Vgl. Tichonov, S. 18. Die Sicherheitsbestimmungen begannen sich in Seversk Mitte der 1990er Jahre zu lockern, verschärften sich allerdings im Zuge des zweiten Tschetschenienkrieges erneut. Vgl. Osipov.

[343] Vgl. Lappo / Poljan, S. 23.

[344] Vgl. ebd.

Technologiemetropolen (*technopolisy*) und Wissenschaftsstädte (*naukogra-dy*). Das Modell eines Hochtechnologiestandorts hat bereits seit längerer Zeit Bestand, solche Gebilde existierten mit in den 1950er und 1960er Jahren für die Arbeit an militärisch-strategischen Aufgaben errichteten Städten wie Dub-na, Dolgoprudnyj, Zelenograd und Troick in der Nähe von Moskau bereits zu Sowjetzeiten.[345] Auch sie standen nach dem Zusammenbruch des Sowjetsy-stems vor erheblichen Problemen.[346] Die Unterschiede zwischen einer Wis-senschaftsstadt und einer Atomstadt sind prinzipiell nicht groß, bei beiden Arten handelt es sich um Orte mit vorwiegender Bedeutung für die Rüstungs-forschung und -industrie, die über ein großes wissenschaftlich-technisches, wissenschaftlich-industrielles und intellektuelles Potential verfügen und auf die Ausarbeitung, den Aufbau und die Durchführung von intensiven wissen-schaftlichen Technologien von fundamentaler oder rüstungstechnischer Be-deutung orientiert sind.[347]

Die offizielle Definition eines *naukograd* findet sich im „Föderalen Gesetz über den Status ‚Wissenschaftsstadt'" vom 7. April 1999. Demnach handelt es sich um

> „eine munizipale Einrichtung mit einem städtebildenden [*gradoobrazujuščij*] wis-senschaftlich-produzierenden Komplex; dieser wissenschaftlich-produzierende Komplex entspricht der Gesamtheit der Organisationen, die die wissenschaftliche, wissenschaftlich-technische und Innovationsarbeit sowie experimentelle Ausarbei-tungen, Versuche und die Kaderausbildung den staatlichen Prioritäten auf dem Ge-biet der Entwicklung von Wissenschaft und Technik entsprechend verwirklichen; die Infrastruktur einer Wissenschaftsstadt entspricht der Gesamtheit aller Organisatio-nen, die die Lebensfunktionen der Bevölkerung der Wissenschaftsstadt gewährleis-ten."[348]

Diese auf den ersten Blick wenig konkrete Definition verdeutlicht, daß der Begriff „*naukograd*" recht weit gefaßt ist und Atomstädte zwangsläufig dar-

---

[345] W. Belezkaja: Forschung in der Sowjetunion. Report über die neuen Städte der Wis-senschaft in der Sowjetunion. Düsseldorf / Wien 1979.

[346] Vgl. „Technopolis darf nicht sterben." In: Wostok (1992) 2, S. 25-32, M.I. Kuznecov: Problemy i perspektivy razvitija naukogradov Moskovskogo regiona. In: Municipal'nyj Mir (2000) 2, S. 19-23.

[347] Zakrytye atomnye goroda Rossii, S. 17-18.

[348] Federal'nyj zakon o statuse naukograda Rossijskoj federacii. (Kopie im Besitz des Au-tors)

unter fallen. Dennoch gelten heute nicht automatisch alle russischen Atomstädte auch als Wissenschaftsstädte, denn der Titel bzw. Status *„naukograd"*
wird speziell für eine Dauer von 25 Jahren verliehen.[349] Die Besonderheit einer Wissenschaftsstadt liegt in ihrer gezielten finanziellen Unterstützung aus
dem Föderationsbudget.[350] Obninsk, die „Stadt der friedlichen Atomnutzung"
(hier nahm 1954 das erste zivile Atomkraftwerk der Welt seinen Betrieb
auf)[351] im Kalugaer Gebiet wurde im Mai 2000 als erster der Status einer Wis-
senschaftsstadt verliehen. Obninsk erhielt die damit verbundenen erheblichen
finanziellen Aufwendungen zur Belebung des wissenschaftlich-technischen,
aber auch des wirtschaftlichen Sektors in der Stadt.[352] Dadurch stellen Wissenschaftsstädte in ihrer Eigenschaft als hochspezialisierte Technologie-
standorte mit klar umrissenen staatlichen Aufgaben – und damit mit einer so-
liden Legitimation – für die Atomstädte eine rettende Alternative dar, weshalb
der Status *„naukograd"* auch außerordentlich begehrt ist.[353]

Eine „Technopolis" unterscheidet sich ebenfalls auf den ersten Blick kaum
von einer Atomstadt, auch sie ist ein „Siedlungsgebilde, das auf die Ausarbeitung und Durchführung technologischer Innovationen und die Entwicklung
wissenschaftsintensiver Produktion spezialisiert ist"[354]. Allerdings werden in
solchen Technologiestandorten Universitäten sowie kleinen und mittleren
Hochtechnologieunternehmen eine besondere Bedeutung eingeräumt, während in Atomstädten nur die großen Unternehmen und Kombinate eine herausragende und oft bestimmende Rolle spielen. Im Unterschied zu einer geschlossenen Atomstadt erfüllt eine *technopolis* die Aufgabe eines „Koordina-
tionszentrums des wissenschaftlich-technischen Wissens und der Innovationen für das sie umgebende Gebiet, eines Pols der Verbreitung von Neuerun-

---

[349] Vgl. ebd.
[350] Vgl. ebd.
[351] Vgl. Lappo / Poljan, S. 9.
[352] Vgl. Zakrytye atomnye goroda Rossii, S. 19.
[353] Die Atomstädte haben deshalb Initiativen hervorgebracht, die mit schriftlichen Ein-
schätzungen auf die Vorzüge der jeweiligen Städte und ihre Eignung als künftige *nau-
kogrady* hinweisen sollen. Ebenfalls kommen auch jeweilige aktuelle Probleme zur
Sprache, wobei bemerkenswert sein dürfte, daß das soziale Konfliktpotential offenbar
bei den Autoren als „Problem" gar nicht registriert ist. Vgl. V.N. Osipov / S.V. Delidov:
Koncepcija razvitija naukograda Seversk. Otčet o NIR. Seversk 1998. (unveröffentlichtes Typoskript, im Besitz des Autors)
[354] Ebd., S. 20.

gen."[355] In ihr werden bessere Bedingungen für einen allgemeinen Informationsaustausch, für gemeinsame Forschungsprojekte zwischen Universitäten, Firmen und wissenschaftlichen Forschungsinstituten geschaffen, während in den Atomstädten solche Intentionen schon grundsätzlich mit dem Prinzip des strengen Sicherheitsreglements und der damit verbundenen Geheimhaltung kollidieren. Allerdings besitzt das Modell der „Technopolis" einen noch zu großen Experimentalcharakter, um eine ernstzunehmende Alternative für die Atomstädte darstellen zu können. Bisher ist Zarečnyj (Pensa-19) die einzige ehemals „verbotene" Stadt, die – probeweise wohl – den Status einer „Technopolis" erhielt.[356]

Seit dem Ende des Rüstungswettlaufs des „Kalten Kriegs" zwischen den USA und der Sowjetunion hat sich zwischen den ehemaligen Antipoden eine immer engere Zusammenarbeit auch im Umgang mit Massenvernichtungswaffen entwickelt. Die westliche Welt, allen voran die Amerikaner, hat zweifellos ein enormes Interesse an der Sicherung des nuklearen Erbes der Sowjetunion vor der Gefahr der unkontrollierten Proliferation.[357] So haben sich die USA in den vergangenen Jahren aktiv für eine Unterstützung der russischen Bemühungen eingesetzt, die Anforderungen der START-Verträge zur Begrenzung und Verringerung des eigenen Atomwaffenarsenals zu erfüllen. Unweigerlich offenbarten sich dabei die ehemaligen Geheimstädte mit all ihren aktuellen Problemen, denen angesichts der nicht übermäßig großen Bandbreite an landeseigenen Alternativen durch eine internationale Zusammenarbeit neue Möglichkeiten geboten werden können. Dabei liegt es nur nahe, daß Rußland von den amerikanischen Erfahrungen im Umgang mit dem nuklearen Industriekomplex lernt. Dieser stand in den USA den Ausmaßen des sowjetischen Pendants kaum nach, kam allerdings mit atomaren Produktionsstätten aus, die schon seit langer Zeit nicht mehr derart extremen Bestimmungen zur Geheimhaltung und Abschirmung unterworfen waren. Warum sollte das amerikanische Vorbild, das in der Anfangszeit ohnehin nahezu eins zu eins übernommen worden war, nicht abermals Anregungen, diesmal

---

[355] Ebd.

[356] Vgl. ebd.

[357] Vgl. S. Blagowolin: Das nukleare Erbe. In: Fischer / Nassauer, S. 277-284, K.-H. Kamp: Das nukleare Erbe der Sowjetunion – eine Aufgabe westlicher Sicherheitspolitik. In: Europa-Archiv 48 (1993) 21, S. 623-632, S. Blagowolin: Das nukleare Erbe. In: Fischer / Nassauer, S. 277-284.

für eine sinnvolle Konversion der waffenstarrenden Gebilde, bieten können?[358]

Bereits mit dem Zusammenbruch der Sowjetunion 1991 begann die Ausarbeitung diverser Initiativen, die ein nukleares Horrorszenario verhindern sollten. So zählt das Programm des Physikers Tom Neff zu den bedeutendsten
seiner Art, es sieht einen Vertrag vor, in dem sich die USA verpflichten, Rußland über eine Dauer von 20 Jahren 500 Tonnen schwachangereichertes
Uran für eine Weiterverwendung in zivilen Reaktoranlagen abzukaufen. Ein
beträchtlicher Teil aus den daraus entstehenden Einnahmen verwandte das
russische *Minatom* für die Schaffung neuer Arbeitsplätze in den Atomstädten.[359] Im Jahre 1998 wurde als Teil der *Russian Transition Initiative* (RTI)
zwischen der US-amerikanischen *National Nuclear Security Administration*
(NNSA) und dem russischen *Minatom* eine Initiative für die Hilfe zur Verringerung des russischen Atomwaffenkomplexes (*Nuclear Cities Initiative*, NCI) ins
Leben gerufen, die sich bislang in den drei Atomstädten Sarov, Snežinsk und
Železnogorsk engagiert.[360] Dabei unterstützt die NCI gezielt marktwirtschaftli-
che Initiativen von Kleinunternehmen und hilft beim Ausbau der medizinischen Infrastruktur vor Ort. Ebenso wie bei dem Waffenvernichtungspro-
gramm *Cooperative Threat Reduction* (CTR) unter dem ehemaligen US-Senator Sam Nunn macht sich in den letzten Jahren allerdings eine auf beiden
Seiten immer zögerlichere Haltung bemerkbar.[361]

Nichtsdestotrotz erfolgen auch andere Bemühungen für eine stärkere Zusammenarbeit zwischen den amerikanischen und russischen Atomwaffen-
komplexen; so regten die *Sandia National Laboratories* des *Department of
Energy* in New Mexico ein Projekt für Brieffreundschaften zwischen Schulen
vor Ort und dem russischen Snežinsk an, aus dem später gar ein fester
Schüleraustausch entstehen könnte.[362] Unter Schirmherrschaft des italieni-

---

[358] Vgl. Coté, S. 194-198, Tichonov, S. 41. Offenbar sind diesbezüglich auch erste konkrete Schritte unternommen worden, vgl. G.A. Seive: Russians learn about city, defense-industry conversion. http://www.oakridger.com/stories/052600/new_0526000053.
html (05.12.2003).

[359] Vgl. von Hippel.

[360] Vgl. ebd., http://www.nnsa.doc.gov/na-20/nci/about_unprec.shtml (30.11.2003).

[361] Vgl. von Hippel.

[362] Vgl. „Albuquerque, Russian school children shed Cold War mentality in electronic-age
pen-pal program." http://www.sandia.gov/media/penpals.htm (05.12.2003).

schen Außenministeriums hin bildete sich 2001 eine *European Nuclear Cities Initiative* (ENCI), die deutlich macht, daß ernsthafte Bemühungen um eine vernünftige Verringerung und Stabilisierung des aufgeblähten russischen Atomwaffenbereichs keinesfalls nur durch die US-amerikanische Seite erfolgen.[363] Ausländische Initiativen können die finanzielle Privilegierung geschlossener Städte keinesfalls kompensieren und wollen dies ganz offenbar auch nicht; hinter den meisten Projekten dürfte alles andere stehen, als eine Strategie, die in der Wiederherstellung sowjetischer Verhältnisse ein probates Mittel zur Konservierung eines erheblichen Gefahrenpotentials sieht.

---

[363] Vgl. M. Martellini / A. Lantieri / P. Cotta-Ramusino (eds.): An Outline of Possible European Nuclear Cities Initiative Projects. List of Technological, Energy, Environment Projects and Potential New Civilian Jobs by Military Conversion in the Russian Nuclear Cities of Sarov and Snezhinsk. Rome 2001. http://www.mi.infn.it/~landnet/Doc/ENCI_tech.pdf (05.12.2003).

5. Zusammenfassung

Das eingangs angeführte Umfrageergebnis von 94 Prozent, die einen *status quo* Seversks fordern, hat nachvollziehbare Ursachen. Bereits in den 1930er Jahren wurde deutlich, daß Ingenieure und technische Spezialisten nicht durch Arbeiter zu ersetzen waren und aufgrund ihrer Leistungen auch besondere Privilegien verdienten. Diese Vergünstigungen wurden, wenn sie tatsächlich erteilt wurden, dankbar entgegengenommen, doch bedurfte es bei der Schicht der Ingenieure größtenteils keiner Extramotivation, um anspruchsvolle Projekte mit Elan anzugehen. Die maßgeblichsten Inspirationen für diese Großvorhaben zur Ankurbelung der Industrialisierung im eigenen Land erfuhr die Sowjetunion durch verschiedene westliche, vor allem aber durch amerikanische Vorbilder. Dabei war man sich der Abhängigkeit von ausländischer Hilfe und bereits funktionierenden Mustern bewußt und versuchte, diese sich einerseits so nutzbar wie möglich zu machen und sich andererseits von deren Einfluß zu befreien. Diese „Befreiung" vom äußeren Einfluß äußerte sich im Bestreben, einen eigenen, sowjetischen Weg zu beschreiten, was schließlich in tragischer Weise auch „gelang": Sowjetische Großbaustellen wurden durch ideologische Inszenierung und durch rücksichtslosen Zwangsarbeitereinsatz einerseits zu visionären Brückenköpfen einer utopisch-verheißungsvollen Zukunft und andererseits zu Orten der puren Menschenverachtung.

Die durch die Angst vor einer deutschen Massenvernichtungswaffe vorangetriebenen Anstrengungen einiger westlicher Staaten zum Bau einer Atombombe blieben der sowjetischen Führung nicht verborgen. Die Bedeutung einer solchen Waffe eröffnete sich ihr endgültig jedoch erst mit der Zerstörung der japanischen Städte Hiroshima und Nagasaki durch den amerikanischen Angriff im August 1945. Schon einige Jahre zuvor waren durch eingehendere Untersuchung des umfangreichen Spionagematerials aus den USA maßgebliche wissenschaftliche Köpfe ins Spiel gebracht worden, die später im sowjetischen Atomprojekt eine wichtige Rolle spielen sollten.

Im August 1945 wurde in kürzester Zeit eine weitverzweigte Organisationsstruktur eingerichtet, die den Aufbau und die Lenkung einer komplett neuen Rüstungsbranche, der Atomindustrie, übernahm. Zur Lösung der außerordentlich umfangreichen organisatorischen und wissenschaftlich-technischen Aufgaben wurde ein materieller Aufwand betrieben, der für ein vom Krieg derart stark geschwächtes Land ungewöhnlich war. Der entstandene Verwaltungsapparat war ein Novum in der sowjetischen Bürokratie: Effizient und unkompliziert wurden unter dem Vorsitz Berijas Probleme vielfältigster Art aufgespürt und durch schnelle Entscheidungen gelöst.

Mit dem Ende des Zweiten Weltkrieges begann die Sowjetunion, in ihrem Einflußbereich nach verwertbaren Ressourcen für ihr Atomprojekt zu suchen. Sie fand auf deutschem Gebiet neben wertvollen Rohstoffen auch eine Anzahl wissenschaftlicher Kapazitäten, die sich, teils freiwillig, teils unter Zwang, zur Arbeit in sowjetischen Instituten bewegen ließen. Die deutschen Wissenschaftler erfüllten, mit Ausnahme des Uranexperten Nikolaus Riehl, zwar keine Aufgaben von primärer Wichtigkeit, halfen jedoch als Zuträger und „Feuerwehr" in bestimmten Situationen, die Zeit bis zur Fertigstellung der ersten sowjetischen Atombombe stark zu verkürzen.

Von Anfang an war das sowjetische Atomprojekt in seinem Bestreben, die Amerikaner einzuholen, von großem Zeitdruck geprägt. Mit großer Eile wurden innerhalb kurzer Zeit und ohne Rücksichtnahme auf materielle und menschliche Ressourcen ein ganzer Industriezweig aus dem Boden gestampft und neue Städte errichtet. Offensichtliches Vorbild für diese eigenwilligen Gebilde hinter Stacheldraht waren die amerikanischen „Objekte" mit all ihren aufwendigen Sicherheitsvorkehrungen. Diese Maßnahmen besaßen entscheidenden Einfluß auf die Herausbildung abgeschotteter Lebensräume, deren Besonderheiten sich einerseits durch erheblichen Geheimhaltungs- und Zeitdruck auf ihre Bewohnerschaft und andererseits durch eine umfangreiche materielle, soziale und kulturelle Privilegierung äußern. Merkwürdigerweise standen die geheimen „Objekte" in dem Ruf, genügend Freiraum in ideologischer Hinsicht zu bieten. Die Dringlichkeit der Arbeit ließ der Lösung technischer Aufgaben offenbar den Vortritt vor der Ideologie.

Die Auflösungserscheinungen der Sowjetunion und das offizielle Ende des Ost-West-Konflikts sorgten für einen jähen Bedeutungsverlust des „militärisch-industriell-akademischen Komplexes" im allgemeinen und der Atomstädte im speziellen. Stagnierender wissenschaftlicher Nachwuchs, Abwanderung ganzer Forschungsinstitute in branchenfremde Bereiche und eine permanente Bedrohung durch möglichen Schmuggel radioaktiven Materials gehören zu den Hauptproblemen der heute noch geschlossenen Städte des russischen Ministeriums für Atomenergie. Um das mit der wachsenden Frustration der Nuklearspezialisten in Zusammenhang stehende Gefahrenpotential einzugrenzen, wurden zunächst von ausländischer und nun auch von russischer Seite Maßnahmen zur Stabilisierung des Systems der Atomstädte getroffen. Teilweise konnten beachtliche erste Erfolge, wie die verstärkte Zusammenarbeit einiger Stadtadministrationen und Betriebe mit ausländischen Partnern, erzielt werden, doch muß auch in Zukunft konzentriert nach adäquaten Lösungen für die aktuellen Probleme der Atomstädte gesucht werden.

Die Frage nach einer möglichen Kontinuität der militärischen Organisation sowjetischer Großprojekte der 1930er Jahre bei der Verwirklichung des Atomprojekts kann positiv beantwortet werden. Äußerlich besaß das Atomprojekt in jedem Falle militärischen Charakter. Die Mobilisierung von Armeepersonal und Häftlingen, das effiziente Funktionieren des Organisationsapparats und nicht zuletzt das Gebot, Entscheidungen „operativ" zu fällen, erinnern an ein militärisches Unternehmen. Allerdings ist deutlich geworden, daß die These von der Simulation eines „Kriegszustands zu Friedenszeiten", die für die Motivation von Arbeitern und – teilweise – auch Ingenieuren und Technikern bei der Durchführung von sowjetischen Großprojekten in den 1930er Jahren sorgte, auf das Atomprojekt nicht anwendbar ist. Innerlich, und damit soll die Frage nach den Auswirkungen des Versuchs der „mentalen Militarisierung" auch der Ingenieursschicht während der 1930er Jahre auf die Nuklearwissenschaftler der 1940er Jahre beantwortet werden, trug das Atomprojekt keinen militärischen Charakter. Dabei spielt ein Faktor eine entscheidende Rolle: Die stimulierende Wirkung des inszenierten Kampfes gegen den inneren und äußeren Feind äußerte sich bereits während der 1930er Jahre nicht im gleichen Maße bei der Schicht der Ingenieure, wie bei der breiten Masse der Arbeiterschaft aus Bauarbeitern, Komsomolzen und Soldaten. Die Spezialisten mochten zwar seit der Gleichstellungskampagne unter verstärktem Druck stehen, besaßen aber einen starken inneren Antrieb, der technische Herausforderungen auch ohne ideologische Inszenierungen bewältigen wollte und konnte.

Zur Beantwortung der Frage nach der Motivation des wissenschaftlichen Personals: Ein solcher Anreiz war mit dem technisch höchst anspruchsvollen Vorhaben, eine Atombombe herzustellen, gegeben. Es kann den Wissenschaftlern geglaubt werden, wenn sie dies heute als den Hauptgrund für ihre Entscheidung zur Arbeit an der verheerendsten Waffe der Menschheit angeben.

Die extreme Geheimhaltung ist in direktem Zusammenhang mit dem ausgeübten Druck und den geleisteten Vergünstigungen zu sehen. Der Druck ist jedoch in ganz andere Rahmenbedingungen einzuordnen, als die psychologische Massenaufstachelung der 1930er Jahre. Das Ziel war, wie der nun folgende („kalte") Krieg zeigte, nicht konstruiert, sondern außerordentlich konkret: Unter Zuhilfenahme aller möglichen Mittel mußte die vom Zweiten Weltkrieg hochgradig geschwächte Sowjetunion eine eigene Atombombe konstruieren, um das Bedrohungs- und Machtmonopol der Amerikaner zu brechen. Der große Zeit- und Erfolgsdruck sorgte für eine große psychologische Belastung aller am Atomprojekt Beteiligten, bis hinein in höchste politische und wissenschaftliche Kreise. Während ein Versagen außerhalb des „Weißen Archipels" schwere Strafen zur Folge haben konnte, genügte es innerhalb, entsprechende Maßnahmen *anzudrohen* und kleinere Exempel zu statuieren. Daß härtere Strafen ausblieben, ist dem eigenen großen Antrieb der Forscher, der sie streckenweise Tag und Nacht arbeiten ließ, aber auch der Tatsache zuzuschreiben, daß Ausfälle von wissenschaftlichem Potential wegen zumeist mangelnder Alternativen schlichtweg nicht kompensierbar waren. Weitreichende finanzielle und soziale Privilegien wirkten sich zudem förderlich für eine fruchtbare Arbeitsatmosphäre aus. Diese Privilegierung zeigte, zusammen mit ausgeübtem psychologischem Druck, der verstärkt wurde durch ein für die meisten nachvollziehbares, strenges Geheimhaltungsregime und dem großen Maß an Motivation, bei den Wissenschaftlern Ergebnisse, die von der sowjetischen Führung gefordert wurden. So konnten sehr schnell greifbare wissenschaftliche Resultate präsentiert werden, die schließlich zur erfolgreichen Erprobung der ersten sowjetischen Atomwaffe führten.

In ihren Erinnerungen ließen die meisten Atomspezialisten keinen Zweifel daran, daß sie von der Notwendigkeit ihrer Arbeit überzeugt waren. Dies zeigt, daß das Konzept von einer loyalen Elite auf kleinem Raum und in kontrollierter Arbeits- und Lebensumgebung aufgegangen ist. Dadurch wurden in den geheimen Atomstädten Bedingungen geschaffen, die die Kluft zwischen sozialistischem Anspruch und sowjetischer Wirklichkeit kleiner werden ließen: Ein klares Ziel wurde mit großem Enthusiasmus und eigener Dynamik verfolgt und schließlich zum Gelingen gebracht. Daß die „Objekte" jedoch bewußt als „sozialistische Projekte", als Chance zur Verwirklichung von in der „Außenwelt" nicht selten gescheiterten ideologischen Konzepten erkannt wurden, ist nicht belegbar. Es ist umgekehrt sogar die (scheinbar paradoxe) Entwicklung erkennbar geworden, daß in ihnen kritische Töne freier als in der „Außenwelt" geäußert werden konnten. Dies weist darauf hin, daß die Lösung technischer Fragen vor ideologischen Vorgaben klare Priorität besaß, abgesehen davon, daß die naturwissenschaftliche Forschung in Diktaturen stets mehr geistigen Freiraum mit sich zu bringen scheint, als andere Disziplinen, wenn man freilich von den teilweise verheerenden Auswirkungen des „Lysenkoismus" absieht. Daß man mit der Ideologie keine Kraftwerke bauen konnte, war zweifelsohne in höheren Positionen bekannt, die Entwicklungen der 1930er Jahre in der Sonderstellung der Ingenieure fand somit während des Atomprojekts eine klare Kontinuität.

Parallelen zum amerikanischen Bombenprojekt treten bei der Betrachtung des sowjetischen Vorhabens teilweise offen hervor, und es ist nicht vermessen zu behaupten, daß die Geheimhaltungsmanie im Zusammenhang mit der sowjetischen Atomindustrie durch ihr amerikanisches Vorbild – auch hierin äußert sich eine Kontinuität der Entwicklungen in den 1930er Jahren – wesentliche Impulse erfuhr. Allerdings sind viele der gerade im Sicherheitsbereich getroffenen Entscheidungen bedingt durch eine innere Logik, die ein Vorhaben von der Reichweite eines Atombombenprojekts in sich birgt; dabei ist es nicht von Bedeutung, wer wen kopierte. Die Frage nach den Spezifika des sowjetischen Projekts läßt sich dennoch beantworten: Die geheimen amerikanischen „Objekte", von denen mit Los Alamos, Hanford und Oak Ridge auch nur drei „Städte" im eigentlichen Sinne existierten, wurden bereits in den 1950er Jahren weitgehend vom Geheimhaltungsregime befreit. In der Sowjetunion hingegen schuf eine die militärischen Arbeitskräfte weit überragende Zahl Strafgefangener die infrastrukturellen Voraussetzungen für ein ganzes „Nukleararchipel", das bis heute in kaum veränderter Form existiert. Deutsche Forscher wurden zwar nicht nur in der Sowjetunion an der Kernforschung beteiligt, hier aber erfolgte ihr Einsatz größtenteils zwangsweise –

zumindest wurde ihnen selten eine andere Wahl gelassen, als am sowjetischen Projekt mitzuarbeiten – und in Abgeschottetheit von der sowjetischen Forschung. Von wichtiger Bedeutung für die Entwicklung der sowjetischen Atombombe war ebenfalls die systematische Spionagearbeit, die in Form, Umfang und Folgen derart wohl kaum wieder durchgeführt worden ist. Schließlich ist ebenfalls einzigartig, daß die Übertragung der organisatorischen Leitung des Atomprojekts neben einem eigens gegründeten Gremium auf das sowjetische Innenministerium und die Sicherheitsorgane erfolgte.

Wenn auch eine bewußte ideologische Nutzbarmachung geheimer Städte, sieht man einmal von der ideologischen Bedeutung der in ihnen hergestellten Erzeugnisse ab, nicht beobachtet werden kann, so ist doch ihr Charakter als „goldener Käfig" unbestritten. Es ist deutlich geworden, daß das Konzept dieser abgeschlossenen Lebensräume reibungslos aufging, solange sie eine klare Aufgabe hatten. Als diese Aufgabe mit dem Ende des „Kalten Krieges" allmählich wegbrach, entstanden unvermutete Probleme. Plötzlich wurde hochspezialisiertes wissenschaftliches Potential nicht mehr benötigt und vielseitige Vergünstigungen fielen für eine an Aufmerksamkeit gewöhnte Elite nach und nach weg. Daher besteht die Gefahr für ein Abtrünnigwerden von Atomspezialisten durchaus, auch wenn eine offenbar moralisch „saubere" Einstellung der Branche und nicht zuletzt eine ausgeweitete Sicherheitszusammenarbeit mit dem Ausland in der Vergangenheit größere Zwischenfälle verhindern konnten. Trotz diverser Projekte hat sich keines der Konzepte zur endgültigen Stabilisierung des Archipels der russischen Atomstädte als griffig genug erwiesen, um den Zustand der ungewissen Schwebe und der fehlenden Legitimation zu überwinden. Daran hat die immer wieder hervortretende Widerstandshaltung städtischer Administrationen und nicht zuletzt des konservativen Teils der Bevölkerung in den Atomstädten gegen grundlegende Veränderungen einen großen Anteil. In Zukunft müssen sich sowohl Administrationen, als auch die Bevölkerung vom Festhalten an altem sowjetischem Sicherheitsdenken verabschieden und sich in vielerlei Hinsicht „öffnen", will man nicht auch weiterhin als „ein Stück alte Sowjetunion" gelten.

Literaturverzeichnis

Quellen

- A.P. Aleksandrov: Kak delali bombu. In: Izvestija, 28. Juli 1988, S. 3.
- L.V. Al'tšuler: „Tak my delali bombu." In: Literaturnaja gazeta, 26. Juni 1990, S. 13.
- M. v. Ardenne: Ein glückliches Leben für Technik und Forschung. Autobiographie. 4., überarb. u. erg. Aufl., Berlin (Ost) 1976.
- Atomnyj proekt SSSR. Dokumenty i materialy. V 3 t., pod obšč. red. L.D. Rjabeva, Moskva 1998 –.
- „Zadanie sozdat' sovetskuju atomnuju bombu vypolneno." In: Istočnik 53 (2001) 5, S. 67-95.
- H. u. E. Barwich: Das rote Atom. München / Bern 1967.
- Ders.: „Jedes Blatt Papier war numeriert...". Professor Heinz Barwich über die Atomforschung in den Ostblockstaaten. In: Der Spiegel 44 (1965), S. 160-170.
- N.S. Chruščev: Vremja, ljudi, vlast'. Vospominanija v 4-ch tomach. Moskva 1999.
- Federal'nyj zakon o statuse naukograda Rossijskoj federacii. Moskva 1999.
- A.S. Feklisov: Podvig Klausa Fuksa. In: Voenno-istoriceskij žurnal (1990)12, S. 22-29, (1991) 1, S. 34-43.
- Interview mit dem Kernchemiker V.N. Osipov, Seversk, 04.01.2001 (Tonmitschnitt im Besitz des Autors).
- L.R. Groves: Now it can be Told. The Story of the Manhattan Project. New York u.a. 1962.
- V. Gubarev: Belyj Archipelag Stalina. Dokumental'noe povestvovanie o sozdanii jadernoj bomby, osnovannoe na rassekrečennych materialach „Atomnogo proekta SSSR". Moskva 2004.
- W. Gubarew: Arsamas-16. Wissenschaftler der geheimen russischen Atomstadt brechen das Schweigen. Berlin 1993.

- „Izmenenija pasportnoj sistemy nosjat prinicipjal'no važnyj charakter."
  Kak sozdavalas' i razvivalas' pasportnaja sistema v strane. In: Istočnik.
  Dokumenty russkoj istorii 49 (1997) 6, S. 101-121.

- Krajuškin / N. Tepcov : Kak snižali ceny v konce 40-ch – načale 50-ch
  godov i čto ob étom govoril narod. In: Neizvestnaja Rossija. XX Vek
  (1992) 2, S. 282-294.

- Lavrentij Berija. 1953. Stenogramma ijul'skogo plenuma CK KPSS i
  drugie dokumenty. Pod. red. akad. A.N. Jakovleva, sost. V. Naumov /
  Ju. Sigačev. Moskva 1999 (Deutsch in gekürzter Fassung: V. Knoll / L.
  Kölm (Hrsg.): Der Fall Berija. Protokoll einer Abrechnung. Das Plenum
  des ZK der KPdSU Juli 1953. Stenographischer Bericht, 2. Aufl., Berlin
  1999).

- K. Magnus: Raketensklaven. Deutsche Forscher hinter rotem Stacheldraht. Stuttgart 1993.

- O. Moros / Ju. Chariton: Um der nuklearen Parität willen. In: Andrej Sacharow. Ein Porträt aus Dokumenten, Erinnerungen und Fotos. Leipzig
  / Weimar 1991, S. 129-151.

- V.N. Mikhaylov: I am a hawk. Memoirs of Atomic Energy Minister Mikhaylov. Edinburgh u.a. 1996.

- M.G. Pervuchin: Kak byla rešena atomnaja problema v našej strane. In:
  Novaja i novejšaja istorija (2001) 5, S. 121-136.

- Ders.: Pervye gody atomnogo proekta. In: Chimija i žizn' (1985), S. 62-
  69.

- F.D. Popov: Arzamas-16. Sem' let s Andreem Sacharovym – vospominanija kontrrazvedčika. Murmansk 1998.

- Posetiteli kremlevskogo kabineta I.V. Stalina. In: Istoričeskij archiv
  (1994) 6, S. 4-44(1997) 1, S. 3-39.

- „Po trevoge". Rasskaz upolnomočennogo Gosudarstvennogo komiteta
  oborony S.V. Kaftanova. In: Chimija i žizn' (1985) 3, S. 6-10.

- N. Riehl: Zehn Jahre im goldenen Käfig. Erlebnisse beim Aufbau der
  sowjetischen Uran-Industrie. Stuttgart 1988.

- A. Sacharow: Mein Leben. München / Zürich 1991.

- G.K. Schukow: Erinnerungen und Gedanken. Stuttgart 1969.

- M. Steenbeck: Impulse und Wirkungen. Schritte auf meinem Lebensweg. Berlin (Ost) 1977.
- „Tjagoty i lišenija byli ne naprasny." Vospominanija general-majora N.G. Merzljakova o rabote na poligone Kapustin Jar v 1949-1955 gg. In: Istoričeskij archiv (2000) 5, S. 17-26.
- I. Trutanow: Die Hölle von Semipalatinsk. Ein Bericht. Berlin / Weimar 1992.
- Umfrage in Seversk, August 2000 (Kopie der Fragebogen und deren Auswertung im Besitz des Autors).
- Ustav zakrytogo administrativnogo-territorial'nogo obrazovanija gorod Seversk (ZATO g. Seversk Tomskoj oblasti) Seversk 1996.
- B. Weber: Erlebnisse in und um Stalins geheimen Atombereich. Dokumentation einer ungewöhnlichen Kriegsgefangenschaft, Mai 1945-November 1953. Aachen 1993.

Darstellungen

- C. Abbott: Building the Atomic Cities: Richland, Los Alamos, and the American Planning Language. In: B. Hevly / J.M. Findlay (eds.): The Atomic West. Seattle / Washington / London 1998, S. 90-115.
- V.B. Adamskij / Ju.N. Smirnov: Julij Borisovič Chariton. In: Voprosy istorii (1997) 10,S. 51-67.
- U. Albrecht / R. Nikutta: Die sowjetische Rüstungsindustrie. Opladen 1989.
- Bass / L. Dienes: Defense Industry Legacies and Conversion in the Post-Soviet Realm. In: Post-Soviet Geography 34 (1993), S. 302-317.
- W. Belezkaja: Forschung in der Sowjetunion. Report über die neuen Städte der Wissenschaft in der Sowjetunion. Düsseldorf / Wien 1979.
- C. Buckley: The Myth of Managed Migration: Migration Control and Market in the Soviet Period. In: Slavic Review 54 (1995) 3, S. 896-916.
- I. Brade (Leibnitz-Institut für Länderkunde Leipzig): Ehemals geschlossene Städte – heute Offshore-Zonen. Unveröffentlichtes Typoskript, Leipzig 1999.
- G. Brock: Public Finance in the ZATO Archipelago. In: Europe-Asia Studies 50 (1998), S. 1065-1082.
- Ders.: The ZATO Archipelago Revisited – Is the Federal Government Loosening Its Grip? A Research Note. In: Europe-Asia Studies 52 (2000), S. 1349-1360.
- J. Cirincione / J.B. Wolfsthal / M. Rajkunmar: Deadly Arsenals. Tracking Weapons of Mass Destruction. Washington D.C. 2002.
- J. Cooper: The conversion of the former Soviet defence industry. London 1993.
- O.R. Coté, Jr.: The Russian Nuclear Archipelago. In: G.T. Allison: Avoiding nuclear anarchy: Containing the threat of loose Russian nuclear weapons and fissile material. Cambridge, Mass. / London 1996, S. 177-202.
- S. Creuzberger / R. Lindner (Hrsg.): Russische Archive und Geschichtswissenschaft. Rechtsgrundlagen, Arbeitsbedingungen, Forschungsper-

spektiven. (= Zeitgeschichte Kommunismus Stalinismus. Materialien und Forschungen 2) Frankfurt am Main 2003.

- L. Erren: Die großen Industrieneubauten des ersten Fünfjahrplans und das Scheitern der „Sozialistischen Stadt". In: Jahrbücher für Geschichte Osteuropas 50 (2002), S. 577-596.
- H. Feis: The Atomic Bomb and the End of World War II. Princeton 1971.
- S. Fischer / O. Nassauer (Hrsg.): Satansfaust. Das nukleare Erbe der Sowjetunion. Berlin / Weimar 1992.
- S. Fitzpatrick: A Closed City and Its Secret Archives: Notes on a Journey to the Urals. In: Journal of Modern History 62 (1990), S. 771-781.
- Dies.: Everyday Stalinism. Ordinary Life in Extraordinary Times: Soviet Russia in the 1930s. New York / Oxford 1999.
- K. Gerasimova: Public Spaces in the Communal Apartment. In: G.T. Rittersporn / M. Rolf / J.C. Behrends (Hrsg.): Sphären von Öffentlichkeit in Gesellschaften sowjetischen Typs. Zwischen partei-staatlicher Selbstinszenierung und kirchlichen Gegenwelten. (= Komparatistische Bibliothek 11) Frankfurt am Main u.a. 2003, S. 164-193.
- I.N. Golowin: I. W. Kurtschatow. Wegbereiter der sowjetischen Atomforschung. Leipzig 1976.
- S. Groueff: Manhattan Project. The Untold Story of the Making of the Atomic Bomb. London 1967 (Deutsche Ausgabe: Projekt ohne Gnade. Das Abenteuer der amerikanischen Atomindustrie. Gütersloh 1968).
- G.W.F. Hallgarten: Das Wettrüsten. Seine Geschichte bis zur Gegenwart. Frankfurt am Main 1967.
- H. Häußermann: Von der „sozialistischen" zur „kapitalistischen" Stadt. In: Aus Politik und Zeitgeschichte 45 (1995) 12, S. 3-15.
- A. Heinemann-Grüder: Die Sowjetische Atombombe. Münster 1992.
- M. Hildermeier: Die Sowjetunion 1917-1991. (= Oldenbourg Grundriß der Geschichte 31) München 2001.
- Ders.: Geschichte der Sowjetunion 1917-1991. Entstehung und Niedergang des ersten sozialistischen Staates. München 1998.
- D. Holloway: Stalin and the bomb. The Soviet Union and Atomic Energy, 1939 – 1956. New Haven / London 1994.

- Ders.: The Soviet Union and the Arms Race. 3. Aufl., New Haven / London 1983.
- M. Huber: Zündstoff in Swerdlowsk 44. In: Die Zeit, 29. Juli 1994, S. 10.
- Istorija Severska. Otv. red. V.P. Zinov'ev, Tomsk 1999.
- R. Jungk: Brighter Than a Thousand Suns. The Moral and Political History of the Atomic Scientists. London 1958 (Deutsche Ausgabe: Heller als tausend Sonnen. Das Schicksal der Atomforscher. Bern / Stuttgart 1963).
- P.R. Josephson: Atomic-Powered Communism: Nuclear Culture in the Postwar USSR. In: Slavic Review 55 (1996), S. 297-324.
- Ders.: Red Atom. Russia's Nuclear Power Program from Stalin to Today. New York 2000.
- Ders.: Rockets, Reactors and Soviet Culture. In: L. Graham (ed.): Science and the Soviet Social Order. Cambridge 1990, S. 168-191.
- K.-H. Kamp: Das nukleare Erbe der Sowjetunion – eine Aufgabe westlicher Sicherheitspolitik. In: Europa-Archiv 48 (1993) 21, S. 623-632.
- A. Knight: Beria, Stalin's First Lieutenant. Princeton, N.J. 1994.
- S. Kotkin: Magnetic Mountain. Stalinism as a Civilization. Berkeley / Los Angeles / London 1995.
- S.P. Kučin: Poljanskij ITL (Gulag – ugolovnyj). Dokumental'no-istoričeskoe povestvovanie ob ispravitel'no-trudovom lagere „Poljanskij" (iz cikla „Istorija goroda"). Železnogorsk (Krasnojarsk-26) 1999.
- M.I. Kuznecov: Problemy i perspektivy razvitija naukogradov Moskovskogo regiona. In: Municipal'nyj Mir (2000) 2, S. 19-23.
- D. van Laak: Weiße Elefanten. Anspruch und Scheitern technischer Großprojekte im 20. Jahrhundert. Stuttgart 1999.
- G. Lappo / P. Poljan: Transformation der geschlossenen Städte Rußlands. (= Berichte des Bundesinstituts für ostwissenschaftliche und internationale Studien 6/1997) Köln 1997.
- A. Martiny: Bauen und Wohnen in der Sowjetunion nach dem Zweiten Weltkrieg. Bauarbeiterschaft, Architektur und Wohnverhältnisse im sozialen Wandel. Berlin 1983.

- Ž.A. Medvedev: Atomnyj GULAG. In: Voprosy istorii (2001) 1, S. 44-59.ders.: Kak sozdavalas' atomnaja bomba v SSSR. In: Voprosy istorii (2000) 7, S. 104-115.
- Ders.: Nuclear Disaster in the Urals. New York 1979.
- R. u. K. Meier: Sowjetrealität in der Ära Breschnew. Stuttgart 1981.
- C. Mick: Forschen für Stalin. Deutsche Fachleute in der sowjetischen Rüstungsindustrie 1945 – 1958. München u.a. 2000.
- Ders.: Wissenschaft und Wissenschaftler im Stalinismus. In: S. Plaggenborg (Hrsg.): Stalinismus. Neue Forschungen und Konzepte. Berlin 1998, S. 321-361.
- F. Mildenberger: Die Polarmagistrale. Zur Geschichte strategischer Eisenbahnprojekte in Rußlands Norden und Sibirien (1943 bis 1954). In: Jahrbücher für Geschichte Osteuropas 48 (2000), S. 407-419.
- S.E. Miller: The Former Soviet Union. In: M. Reiss / R.S. Litwak (Hrsg.): Nuclear Proliferation after the Cold War. Washington 1994, S. 89-128.
- H.W. Morton: Who gets what, when and how? Housing in the Soviet Union. In: Soviet Studies 32 (1980), S. 235-259.
- A.G. Nazarov: Radiacionnaja bezopasnost' i radiacionnye katastrofy. In: Nauka i bezopasnost' Rossii. Istoriko-naučnye, metodologičeskie, istoriko-techničeskie aspekty. Otv. red. A.G. Nazarov, Moskva 2000, S. 397-324.
- D. Neutatz: Die Moskauer Metro. Von den ersten Plänen bis zur Großbaustelle des Stalinismus (1897-1935). Köln / Weimar / Berlin 2001.
- J.H. Noren: The Russian Military-Industrial Sector and Conversion. In: Post-Soviet Geography 35 (1994), S. 495-521.
- V.N. Osipov / S.V. Delidov: Koncepcija razvitija naukograda Seversk. Seversk 1998. (unveröffentlichtes Typoskript, im Besitz des Autors)
- P.R. Pryde / D.J. Bradley: The Geography of Radioactive Contamination in the Former USSR. In: Post-Soviet Geography 35 (1994), S. 557-593.
- R. Rhodes: The Making of the Atomic Bomb. New York 1987.
- C.A. Ruder: Making History for Stalin. The Story of Belomorkanal. Gainesville u.a. 1998.

- S. Schattenberg: Stalins Ingenieure. Lebenswelten zwischen Technik und Terror in den 1930er Jahren. München 2002.
- K. Schlögel: Der „Zentrale Gor'kij-Kultur- und Erholungspark" (CPKiO) in Moskau. Zur Frage des öffentlichen Raums im Stalinismus. In: M. Hildermeier: Stalinismus vor dem Zweiten Weltkrieg. Neue Wege der Forschung. München 1998, S. 255-274.
- M.J. Sherwin: A World Destroyed. The Atomic Bomb and the Great Alliance. New York 1975.
- E. Siegl: Die Lage in den geschlossenen Nuklearstädten Rußlands: Kartoffelanbau statt Forschung. In: Frankfurter Allgemeine Zeitung, 18. August 1994, S. 5.
- N.S. Simonov: Voenno-promyšlennyj kompleks SSSR v 1920-1950-e gody: tempy ėkonomičeskogo rosta, struktura, organizacija proizvodstva i upravlenie. Moskva 1996.
- A. Solschenizyn: Der erste Kreis der Hölle. Stuttgart 1968.
- J. Stadelbauer: Die Nachfolgestaaten der Sowjetunion. Großraum zwischen Dauer und Wandel. (=Wissenschaftliche Länderkunden 41) Darmstadt 1996.
- R. Stettner: „Archipel GULag": Stalins Zwangslager – Terrorinstrument und Wirtschaftsgigant. Entstehung, Organisation und Funktion des sowjetischen Lagersystems 1928-1956. Paderborn u.a. 1996.
- D.R. Stone: Hammer and Rifle. The Militarization of the Soviet Union, 1926-1933. Lawrence 2000.
- „Technopolis darf nicht sterben." In: Wostok (1992) 2, S. 25-32.
- V.A. Tichonov: Zarytye goroda v otkrytom obščestve. Moskva 1996. Tomsk 2000.
- M. Uhl: Stalins V-2. Der Technologietransfer der deutschen Fernwaffentechnik in die UdSSR und der Aufbau der sowjetischen Rüstungsindustrie 1945-1959. Bonn 2001.
- S. Wassilenko: Stadt hinter Stacheldraht. Erzählungen aus Rußland. Reinbek bei Hamburg 1992.
- S.K. Weiner: Preventing Nuclear Enterpreneurship in Russia's Nuclear Cities. In: International Security 27 (2002) 2, S. 126-158.

- J. Wheeler-Bennett / A. Nicholls: The Semblance of Peace. London 1972.
- Zakrytye atomnye goroda Rossii (osobennosti razvitija i upravlenija). Otv. red. E.G. Animica, Ekaterinburg 2002.
- V. Zaslavsky: In geschlossener Gesellschaft. Gleichgewicht und Widerspruch im sowjetischen Alltag. Berlin 1982.

Internet

- „Albuquerque, Russian school children shed Cold War mentality in electronic-age pen-pal program." http://www.sandia.gov/media/penpals.htm (05.12.2003).
- O. Bukharin / F. von Hippel / S.K. Weiner: Conversion and Job Creation in Russia's Closed Nuclear Cities. An Update, based on a Workshop held in Obninsk, Russia, June 27-29, 2000. Princeton 2000, S. 79. http://www.princeton.edu/~globsec/ publications/pdf/ obninsk1.pdf (05.12.2003).
- Federal'nyj zakon Rossijskoj Federacii ot 14 ijulja 1992 g. № 3297-1 „O zakrytom administrativno-territorial'nom obrazovanii". Im Internet unter: http://www.minatom.ru/presscenter/document/norm_doc/fz/fz_03.doc (10.12.2003).
- H. Müller: Nuklearschmuggel und Terrorismus mit Kernwaffen. In: K.R. Spillmann (Hrsg.): Zeitgeschichtliche Hintergründe aktueller Konflikte VI - Vortragsreihe Sommersemester 1997. (= Zürcher Beiträge zur Sicherheitspolitik und Konfliktforschung 44) Zürich 1997. Internetversion: http://www.fsk.ethz.ch/documents/beitraege/zu_44/zu44_08.htm (01.12.2003).
- http://www.bellona.no/en/international/russia/nuke_industry/siberia/mayak/27864. html (06.08.2003)
- http://www.bellona.no/en/international/russia/nuke_industry/siberia/wp_4-1995/ 8224.html (10.12.2003).
- http://www.nti.org/db/nisprofs/russia/fulltext/nuc_city/ransac99.htm (02.11.02)
- http://www.nnsa.doc.gov/na-20/nci/about_unprec.shtml (30.11.2003).
- F. von Hippel: Perspectives. The Bulletin of the Atomic Scientists (2000) 9, S. 21-23. Internetversion: http://www.thebulletin.org/issues/2000/nd00/nd00vonhippel.html (24.06.2003).
- M. Martellini / A. Lantieri / P. Cotta-Ramusino (eds.): An Outline of Possible European Nuclear Cities Initiative Projects. List of Technological, Energy, Environment Projects and Potential New Civilian Jobs by Military Conversion in the Russian Nuclear Cities of Sarov and Snezhinsk.

Rome   2001.   http://www.mi.infn.it/~landnet/Doc/ENCI_tech.
pdf (05.12.2003).

- G.A. Seive: Russians learn about city, defense-industry conversion. http://www.oakridger.com/stories/052600/new_0526000053.html (05.12.2003).
- Yu. Khariton / Yu. Smirnov: The Khariton Version. In: The Bulletin of the Atomic Scientists (1993) 5, S. 20-31. Internetversion: http://www. thebulletin.org/issues/1993/may93/may93Khariton.html (10.10. 2003).

Dr. Andreas Umland (Ed.)

SOVIET AND POST-SOVIET POLITICS AND SOCIETY

ISSN 1614-3515

This book series makes available, to the academic community and general public, affordable English-, German- and Russian-language scholarly studies of various *empirical* aspects of the recent history and current affairs of the former Soviet bloc. The series features narrowly focused research on a variety of phenomena in Central and Eastern Europe as well as Central Asia and the Caucasus. It highlights, in particular, so far understudied aspects of late Tsarist, Soviet, and post-Soviet political, social, economic and cultural history from 1905 until today. Topics covered within this focus are, among others, political extremism, the history of ideas, religious affairs, higher education, and human rights protection. In addition, the series covers selected aspects of post-Soviet transitions such as economic crisis, civil society formation, and constitutional reform.

SOVIET AND POST-SOVIET POLITICS AND SOCIETY

Edited by Dr. Andreas Umland

ISSN 1614-3515

FORTHCOMING (MANUSCRIPT WORKING TITLES)

Nicola Melloni
The Russian 1998 Financial Crisis and Its Aftermath
An Etherodox Perspective
ISBN 3-89821-407-9

Stephanie Solowyda
Biography of Semen Frank
ISBN 3-89821-457-5

Margaret Dikovitskaya
Arguing with the Photographs
Russian Imperial Colonial Attitudes in Visual Culture
ISBN 3-89821-462-1

Stefan Ihrig
Welche Nation in welcher Geschichte?
Eigen- und Fremdbilder der nationalen Diskurse in der Historiographie und den Geschichtsbüchern in der Republik
Moldova, 1991-2003
ISBN 3-89821-466-4

Sergei M. Plekhanov
Russian Nationalism in the Age of Globalization
ISBN 3-89821-484-2

Михаил Лукянов
Российский консерватизм и реформа, 1905-1917
ISBN 3-89821-503-2

Robert Pyrah
Cultural Memory and Identity
Literature, Criticism and the Theatre in Lviv - Lwow - Lemberg, 1918-1939 and in post-Soviet Ukraine
ISBN 3-89821-505-9

Dmitrij Chmelnizki
Die Architektur Stalins
Ideologie und Stil 1929-1960
ISBN 3-89821-515-6

Andrei Rogatchevski
The National-Bolshevik Party
ISBN 3-89821-532-6

Zenon Victor Wasyliw
Soviet Culture in the Ukrainian Village
The Transformation of Everyday Life and Values, 1921-1928
ISBN 3-89821-536-9

Nele Sass
Das gegenkulturelle Milieu im postsowjetischen Russland
ISBN 3-89821-543-1

Josette Baer
Preparing Liberty in Central Europe
Political Texts from the Spring of Nations 1848 to the Spring of Prague 1968
ISBN 3-89821-546-6

Julie Elkner
Maternalism versus Militarism
The Russian Soldiers' Mothers Committee
ISBN 3-89821-575-X

Maryna Romanets
Displaced Subjects, Anamorphosic Texts, Reconfigured Visions
Improvised Traditions in Contemporary Ukrainian and Irish Literature
ISBN 3-89821-576-8

Alexandra Kamarowsky
Russia's Post-crisis Growth
ISBN 3-89821-580-6

Martin Friessnegg
Das Problem der Medienfreiheit in Russland seit dem Ende der Sowjetunion
ISBN 3-89821-588-1

Nikolaj Nikiforowitsch Borobow
Führende Persönlichkeiten in Russland vom 12. bis 20 Jhd.: Ein Lexikon
Aus dem Russischen übersetzt und herausgegeben von Eberhard Schneider
ISBN 3-89821-638-1

Anton Burkov
The Impact of the European Convention for the Protection of Human Rights and Fundamental
Freedoms on Russian Law
ISBN 3-89821-639-X

Katsiaryna Yafimava
The Role of Gas Transit Routes in Belarus' Relations with Russia and the EU
ISBN 3-89821-655-1

Martin Malek, Anna Schor-Tschudnowskaja
Tschetschenien und die Gleichgültigkeit Europas
Russlands Kriege und die Agonie der Idee der Menschenrechte
ISBN 3-89821-676-4

Christopher Ford
Borotbism: A Chapter in the History of Ukrainian Communism
ISBN 3-89821-697-7

Series Subscription

Please enter my subscription to the series *Soviet and Post-Soviet Politics and Society*, ISSN 1614-3515, as follows:

❏ complete series   OR   ❏ English-language titles
                                                     ❏ German-language titles
                                                     ❏ Russian-language titles

starting with
❏ volume # 1
❏ volume # ___
      ❏ please also include the following volumes: #___, ___, ___, ___, ___, ___, ___
❏ the next volume being published
      ❏ please also include the following volumes: #___, ___, ___, ___, ___, ___, ___

❏ 1 copy per volume   OR   ❏ ___ copies per volume

Subscription within Germany:
You will receive every volume at 1st publication at the regular bookseller's price – incl. s & h and VAT.
Payment:
❏ Please bill me for every volume.
❏ Lastschriftverfahren: Ich/wir ermächtige(n) Sie hiermit widerruflich, den Rechnungsbetrag je Band von meinem/unserem folgendem Konto einzuziehen.

Kontoinhaber: _____Kreditinstitut: _____
Kontonummer: _____Bankleitzahl:_____

International Subscription:
Payment (incl. s & h and VAT) in advance for
❏ 10 volumes/copies (€ 319.80)   ❏ 20 volumes/copies (€ 599.80)
❏ 40 volumes/copies (€ 1,099.80)
Please send my books to:

NAME_____DEPARTMENT_____
ADDRESS _____
POST/ZIP CODE_____COUNTRY _____
TELEPHONE _____EMAIL_____

date/signature_____

A hint for librarians in the former Soviet Union: Your academic library might be eligible to receive free-of-cost scholarly literature from Germany via the German Research Foundation. For Russian-language information on this program, see
      http://www.dfg.de/forschungsfoerderung/formulare/download/12_54.pdf.

Please fax to: **0511 / 262 2201 (+49 511 262 2201)**
or mail to: *ibidem*-Verlag, Julius-Leber-Weg 11, D-30457 Hannover, Germany
or send an e-mail: ibidem@ibidem-verlag.de

ibidem-Verlag
Melchiorstr. 15
D-70439 Stuttgart

info@ibidem-verlag.de

www.ibidem-verlag.de
www.edition-noema.de
www.autorenbetreuung.de